D0566703

Améliorer le sommeil des petits

Améliorer le sommeil des petits

Andrea Grace

21 rue du Montparnasse 75283 Paris Cedex 06

Direction de la publication
Isabelle Jeuge-Maynart

Coordination éditoriale
Nathalie Cornellana
avec la collaboration de Marielle Euzéby

Traduction
Dominique Piolet-Françoise

Relecture-correction et mise en pages
Edire

Informatique éditoriale
Marion Pépin, Serge Boucher, Philippe Cazabet

Adaptation graphique
Cynthia Savage

Couverture
Véronique Laporte

Fabrication
Annie Botrel

Pour l'édition originale

Titre original : *Baby Sleep*
Première publication en anglais par Hodder Education,
338 Euston Road, London, NW1 3BH.

ISBN : 978-2-03-582229-1

sommaire

introduction

Ce livre qui s'adresse à tous les parents s'interroge sur l'un des problèmes majeurs auxquels sont confrontés nombre d'entre vous : le sommeil ou plus exactement les problèmes liés au sommeil des enfants.

Afin de vous aider à gérer au mieux une situation ô combien délicate et à la longue pénible, cet ouvrage vous livre des informations générales et s'appuie sur des cas particuliers.

- Comprendre le sommeil des enfants.
- Identifier la nature du problème de votre enfant.
- Réaliser que votre bébé n'est pas le seul à avoir du mal à s'endormir, à se réveiller plusieurs fois la nuit ou à l'aube.
- Trouver la motivation indispensable pour définir un plan d'action.
- Choisir la solution la plus appropriée à votre enfant et la plus gérable pour vous.
- Mettre en place le plan d'action susceptible de donner les meilleurs résultats, plan dont vous êtes les initiateurs, nul ne connaissant mieux un enfant que son père et sa mère.

Être parents est une expérience merveilleuse qui, pour certains, peut être épuisante et fort perturbatrice, notamment si le chérubin passe son temps à se réveiller et à pleurer la nuit.

Le simple fait que vous ayez ce livre entre les mains laisse supposer que vous faites partie de ces milliers de parents dont l'enfant a du mal à dormir. Épuisés, incapables de gérer la situation, vous perdez peu à peu confiance en vous. Bien sûr, vous adorez votre enfant et vous saviez que, dans un premier temps, vos nuits seraient perturbées mais vous ne vous attendiez pas à une telle fatigue.

Ne baissez pas les bras ! Quels que soient le problème de votre enfant, sa fragilité et votre degré de tolérance face à ses pleurs et à ses hurlements, sachez qu'il y a une solution et que le cauchemar va bientôt prendre fin.

Votre enfant ne fait pas exprès de ne pas dormir. Le fait qu'il ait des difficultés à trouver son sommeil et ne dort jamais plus d'une ou deux heures d'affilée s'explique. À vous de trouver la raison qui le pousse à hurler dès que vous le couchez et de mettre progressivement en place un rituel pour qu'il passe des nuits paisibles.

Votre enfant est un être unique et ce qui convient à des bambins de son âge peut n'être d'aucun bénéfice pour lui. Lorsque vous aurez identifié la raison pour laquelle votre enfant dort mal, choisissez parmi toutes les solutions proposées dans les différents chapitres celle qui, à votre sens, répond le mieux aux besoins de votre fils ou de votre fille mais aussi des autres membres de la famille.

Il n'y a pas deux bébés pareils. Pas plus qu'il y a deux familles strictement identiques. Si c'est tant mieux, cela complique un peu les choses. En effet, se dire à tel problème telle solution simplifierait considérablement la vie mais il n'en est rien. À vous de chercher et de trouver la solution la mieux adaptée à votre situation.

Le saviez-vous ?

Même si votre enfant est fragile ou souffre d'une pathologie grave, sachez qu'il y a toujours une solution et que ce problème de sommeil finira par être résolu.

Pour ce qui est du sommeil, les besoins de votre enfant varient considérablement en fonction de son âge. Au fil des pages, vous découvrirez des conseils pratiques qui vous aideront à mettre en place un rituel à l'heure du coucher, à réguler les siestes, à diminuer le nombre de tétées la nuit et à éliminer les facteurs responsables des nuits agitées.

Afin que vous compreniez mieux ce qu'il est possible de faire pour aider votre enfant à dormir paisiblement et en toute sécurité, j'ai inclu dans les différents chapitres des études de cas qui, je l'espère, vous éclaireront sur la problématique à laquelle vous êtes confrontés. Même si la situation décrite ne correspond pas exactement à celle que vous vivez au quotidien, certains éléments vous seront probablement familiers et vous pousseront à définir et à mettre en place les changements susceptibles d'aider votre enfant à mieux dormir.

Les trois derniers chapitres vous proposent des lignes de conduite à suivre afin d'identifier le problème de votre enfant, de définir et de mettre en place un plan d'action et finalement de faire le point sur les côtés positifs et négatifs.

Comme la plupart des parents vous serez probablement surpris de voir que ce qui vous paraissait insurmontable peut être solutionné en quelques jours voire en quelques semaines. Par ailleurs, le fait que votre enfant passe des nuits paisibles sera non seulement bénéfique pour lui mais aussi pour vous et pour les autres membres de la famille.

Votre enfant évolue vite. En quelques mois, il s'assoit, se déplace à quatre pattes, mange des aliments solides et communique de plus en plus avec son entourage. Pour l'aider à franchir chacune de ces étapes, il a besoin de vous. Guidez-le et soutenez-le, et n'oubliez pas que chaque nouvelle étape lui demande une énergie incroyable. Votre enfant doit régulièrement recharger ses batteries et, là encore, vous pouvez intervenir en lui apprenant à s'endormir seul et à apprécier de retrouver son lit lorsqu'il est fatigué.

Un enfant bien reposé est plus jovial, plus calme. Son esprit est plus libre et plus réceptif aux différents apprentissages. De votre côté, vous êtes moins fatigué et vous avez l'énergie suffisante pour répondre aux besoins de votre enfant et créer avec lui une relation privilégiée. Vous ne craignez plus d'être un mauvais parent, vous avez confiance en vous et votre enfant se sent sécurisé.

Je tiens à préciser que pour ce qui est du sommeil, il n'y a pas de différence entre les filles et les garçons et que tous les conseils donnés correspondent aussi bien aux besoins des unes que des autres.

Comment dort un bébé ?

**Dans ce chapitre,
vous apprendrez :**

- comprendre la fonction du sommeil chez votre bébé ;
- comprendre la nature du sommeil de votre bébé ;
- découvrir les cycles du sommeil chez votre bébé ;
- le point sur l'horloge biologique ;
- de combien d'heures de sommeil votre bébé a-t-il besoin ?

Dans la mesure où ce livre s'adresse aux parents de bébés ayant du mal à dormir, je tiens avant toute chose à préciser que le sommeil n'est pas qu'un simple besoin humain fondamental. Il doit être au contraire un moment merveilleux et agréable qui, tout en assurant la santé physique et mentale de chacun, est simplement une forme de plaisir. Rien ne peut égaler le sentiment de bien-être que l'on ressent en se glissant entre les draps d'un lit douillet après une dure journée, ou le bonheur de se prélasser une heure de plus sous une couette bien chaude le dimanche matin.

Vous pouvez faire en sorte que votre bébé ait autant de plaisir à dormir que vous. C'est en dormant que les bébés grandissent et que leur cerveau se développe. Ils refont le plein d'énergie et, tout comme les adultes, lorsqu'ils sont reposés, ils sont plus agréables et réceptifs durant les moments de veille.

Aucune recherche clinique n'a été faite sur les bébés afin d'évaluer les effets du manque de sommeil, pour d'évidentes raisons éthiques. Tout laisse cependant supposer que les bébés souffrent des mêmes effets, dans une certaine mesure, que les adultes qui ne dorment pas suffisamment.

Les recherches portant sur les insomnies chez les adultes montrent que le sommeil joue un rôle fondamental dans le capital santé, qu'il s'agisse du corps ou de l'esprit. Les adultes en manque de sommeil sont souvent dépressifs, souffrent de troubles de la concentration et sont beaucoup plus fragiles. Il semblerait, par ailleurs, que l'organisme des personnes en manque de sommeil ait plus de mal à lutter contre les infections.

Cela dit, n'oublions pas que les bébés sont, en règle générale, d'une robustesse incroyable. Ceux qui ne dorment que quelques heures dans la nuit ne semblent pas pour autant épuisés durant la journée.

Julien a toujours été un bébé adorable et jovial durant la journée, même lorsqu'il passait une mauvaise nuit. Nos amis, nos parents et même l'infirmière de la PMI (Protection maternelle et infantile) n'en revenaient pas lorsque que nous leur disions que Julien n'avait pratiquement pas fermé l'œil de la nuit. Nous avons eu du mal à faire admettre à notre entourage que nous avions besoin d'aide. En effet, notre fils tétait bien, il semblait heureux et il était en parfaite santé. Avec le recul, je pense que tout le monde a cru à un moment donné que nous exagérions. Maintenant que Julien fait ses nuits et que nous pouvons enfin nous reposer, nous profitons pleinement de lui dans la journée.

Des chercheurs de l'Université de Cambridge ont montré que c'est le comportement au cours de la journée qui différencie le plus les adultes et les enfants fatigués à la suite d'une mauvaise nuit. Lorsque nous, adultes, sommes très fatigués, nous vivons au ralenti, nous avons du mal à réfléchir, nous bâillons sans cesse et nous avons envie de dormir alors que les bébés et les jeunes enfants sont *plus actifs* la journée lorsqu'ils sont fatigués.

Ce débordement d'activité s'accompagne souvent d'irascibilité et de pleurs. Cela vous rappelle quelque chose ? L'agitation, les pleurs et les cris sont typiques du comportement d'un enfant « trop fatigué ». Or une trop grande fatigue empêche souvent le bébé de trouver son sommeil, que ce soit au moment de la sieste ou le soir.

Le saviez-vous ?

Les bébés qui ne dorment pas suffisamment la nuit sont plus actifs durant la journée.

La nature du sommeil de votre bébé

Avant toute chose, dès lors que nous nous demandons si notre bébé souffre d'un trouble du sommeil, nous ne devons jamais oublier *qu'il est normal qu'un bébé se réveille la nuit*. Même les enfants modèles qui sont de « bons dormeurs » se réveillent plusieurs fois la nuit.

Ce qui différencie les bons dormeurs des bébés qui souffrent d'un trouble du sommeil, c'est la faculté qu'ils ont à se calmer et à se rendormir sans que leurs parents aient à intervenir lorsqu'ils s'agitent ou se réveillent durant la nuit.

Conseils d'amie

Si vous voulez que votre bébé fasse ses nuits, rassurez-le en le mettant dans son berceau ou dans son lit alors qu'il est encore éveillé.

En effet, si vous le couchez alors qu'il est profondément endormi, il risque d'être perdu et d'avoir peur s'il se réveille au milieu de la nuit dans un lieu autre que celui où il était lorsqu'il s'est endormi.

Lorsqu'un bébé commence sa nuit, sachez qu'il ne va pas dormir d'un sommeil profond plusieurs heures d'affilée. Le sommeil est un processus aujourd'hui encore relativement mystérieux, mais ce que nous pouvons dire avec certitude c'est qu'il comprend différentes phases et cycles et qu'il varie selon les phases. Jusqu'à 4 mois, un bébé alterne des cycles de sommeil calme et des cycles de sommeil agité, chacun durant environ 45 minutes. En enchaînant plusieurs cycles, il peut dormir plusieurs heures de suite. Tout au long de la nuit, les phases se succèdent pour former un cycle. Les cycles sont entrecoupés de brèves périodes d'éveil. Autrement dit, bébé se réveille plusieurs fois par nuit, dès qu'un cycle est terminé. Les deux principales formes de sommeil sont le *sommeil paradoxal* et le *sommeil lent*.

Le sommeil paradoxal et le sommeil lent

Ces deux termes, qui correspondent aux deux principaux stades dans le sommeil, vous sont probablement familiers, mais savez-vous précisément ce qu'ils signifient?

Le sommeil paradoxal est ce que l'on appelle « sommeil agité » chez les bébés. Chez les adultes, cette phase correspond à 20 % - 25 % du temps de sommeil. L'activité tonique des muscles est réduite à son minimum alors que, paradoxalement, l'activité cérébrale bat son plein. Le corps n'est plus en mesure de réguler sa propre température. Cette phase est la plus propice aux rêves – d'où l'appellation « sommeil du rêve ».

Le sommeil lent ou sommeil à ondes lentes (SOL), que l'on appelle « sommeil calme » chez les bébés, correspond aux dernières phases du premier stade de sommeil et, chez l'adulte, compte pour 75 % à 80 % du temps de sommeil. Durant ces phases, le sommeil est profond et réparateur. Le corps est calme et immobile.

Le sommeil paradoxal chez les bébés

Chez les tout-petits nés à terme, le sommeil paradoxal correspond au minimum à 50 % du temps de sommeil total alors que, chez les prématurés, ce « sommeil actif » peut avoisiner 80 % du sommeil total. Tout laisse à penser que, si le pourcentage de sommeil paradoxal est aussi élevé au cours des premières semaines de la vie, c'est parce que cette phase joue un rôle primordial dans le développement cérébral.

Lors du sommeil paradoxal, on observe des mouvements oculaires rapides sous les paupières du bébé. Son corps tressaute et son visage s'anime de petits sourires. Durant cette phase, le bébé ne peut plus réguler sa température corporelle soit en transpirant soit en frissonnant. C'est donc à vous de veiller à ce qu'elle reste stable. Mais nous reviendrons sur ce point page ci-contre.

Le sommeil lent chez les bébés

Durant cette phase, votre bébé risque moins de se réveiller au moindre bruit ou mouvement survenant dans la pièce. Le sommeil lent est caractérisé par l'absence de mouvements oculaires rapides sous les paupières.

Les premiers temps, cette phase représente la moitié du sommeil, mais au fil des semaines, elle dure de plus en plus longtemps. Il faut toutefois attendre le 6e mois pour que les phases de sommeil paradoxal et de sommeil lent soient régulières et que vous puissiez dire à quel moment votre bébé dort profondément. Le sommeil lent est important pour la croissance et la prise de poids du bébé.

Sommeil paradoxal ou agité

Lorsque je regarde mon bébé qu'est-ce que je vois ?

- Des mouvements oculaires rapides sous ses paupières.
- Bien qu'il soit endormi, il sourit de temps à autre.
- Sa respiration est rapide et irrégulière.
- Son petit corps tressaute de temps à autre.

Comment l'expliquer ?

- Même s'il dort, son cerveau est en pleine activité.
- Il fait peut-être un rêve.
- Ce type de « sommeil actif » est normal, notamment chez les tout-petits.

Que dois-je faire ?

- Vous assurer qu'il est confortablement installé, qu'il n'a pas trop chaud car il ne peut pas réguler la température de son corps durant cette phase du sommeil.
- Ne le prenez pas dans vos bras et ne le réveillez pas pour le calmer. Même s'il vous paraît très agité, gardez à l'esprit que cette phase est essentielle pour son développement cérébral.

Sommeil lent

Lorsque je regarde mon bébé qu'est-ce que je vois ?

- Sous ses paupières, ses yeux bougent lentement.
- Son corps est calme et immobile.
- Son visage est apaisé.

- Sa respiration est calme et régulière.
- Les bruits légers ne le dérangent pas.

Comment l'expliquer ?

- Il dort d'un « sommeil paisible ». Cette phase correspond à un sommeil profond.
- Son corps se repose et grandit en même temps.

Que dois-je faire ?

- Laissez-le dormir en paix, mais sachez qu'à cette phase de sommeil succédera une phase de sommeil plus agité.

Les cycles du sommeil

Un cycle du sommeil inclut une phase de sommeil paradoxal, une phase de sommeil lent suivie d'une brève période de « réveil ». Commence alors un autre cycle. Plusieurs cycles se succèdent au cours de la nuit.

Chez les nouveau-nés, la nuit commence non pas par une phase de sommeil lent mais par une phase de sommeil paradoxal. Vers le troisième mois, les phases s'inversent. Vous avez peut-être remarqué que votre bébé dort d'un sommeil profond au début de la nuit puis se réveille comme s'il était désorienté et perturbé environ une demi-heure plus tard. Il est, en effet, fort probable qu'il n'ait pas la capacité de se calmer seul lorsqu'il passe du sommeil paradoxal au sommeil lent.

Le saviez-vous ?

Si être réveillé en pleine nuit est extrêmement pénible pour les parents c'est, entre autres, parce que cela se produit généralement durant la phase de sommeil lent, soit au moment où le sommeil est profond et réparateur. Le bébé se réveille le plus souvent pendant ou juste après une phase de sommeil paradoxal. Vous comprenez maintenant pourquoi, après une nuit difficile, votre bébé est tout sourire alors que vous êtes sur les genoux.

Vers l'âge de 4 mois, Émilie a cessé de pleurer et elle est devenue beaucoup plus calme à l'heure du coucher. Nous avons toutefois remarqué qu'elle se réveillait en pleurs environ une demi-heure plus tard. Tous les soirs, nous devions aller la voir pour la calmer. Même si elle se rendormait rapidement, ces réveils la perturbaient fortement et il était hors de question de la laisser à une baby-sitter.

Après un certain temps, nous avons décidé de la laisser pleurer et, peu à peu, Émilie a appris à se calmer toute seule. Même si, de temps à autre, il nous arrive encore de l'entendre pleurer, elle se rendort facilement et il est très rare que nous soyons obligés d'aller la voir.

Chez les tout-petits, un cycle dure en moyenne 50 minutes puis, à partir de 6 mois, il devient de plus en plus long pour atteindre environ 90 minutes. Ce cycle de 90 minutes se retrouve chez les jeunes adultes, mais diminue au fur et à mesure que la personne vieillit.

En tant que parents, vous avez probablement remarqué que votre bébé est plus agité et a tendance à se réveiller plus facilement au petit matin. Sans vouloir généraliser, on peut dire qu'entre 3 et 6 mois, les bébés dorment plusieurs heures d'affilée au début de la nuit, même s'ils sont dans la phase de sommeil paradoxal, et plus les heures passent, plus leur sommeil est léger et plus ils se réveillent facilement.

Conseils d'amie

- Les bébés se réveillent tôt. Vous aurez moins de mal à l'accepter si vous êtes prêt à changer votre mode de vie afin de suivre le rythme de votre enfant.
- Dans la mesure du possible, organisez-vous avec votre conjoint afin que chacun puisse dormir autant qu'il le désire au moins un jour par semaine (par exemple l'un le samedi et l'autre le dimanche). Vous y trouverez tous les deux votre compte.
- Couchez-vous tôt. Même si vous êtes des couche-tard, votre corps s'habituera peu à peu à un nouveau rythme et vous n'aurez aucun mal à vous endormir.
- Évitez de consommer de l'alcool le soir. Non seulement pour une raison de sécurité évidente, mais aussi parce que se lever tôt le matin est beaucoup plus difficile après une soirée arrosée.

L'horloge biologique

Sans entrer dans les détails, c'est votre horloge biologique, ou horloge circadienne, qui vous permet de faire la différence entre le jour et la nuit. Les nouveau-nés n'ont pas encore acquis cette notion. Ils dorment pratiquement autant le jour que la nuit. Au fil des semaines, vous noterez que votre bébé dort de plus en plus longtemps la nuit et fait des siestes plus courtes le jour. Chez pratiquement tous les bébés, ce rythme se met en place vers le troisième mois, voire plus tôt.

Un certain nombre de facteurs ont une influence sur l'horloge biologique interne de votre bébé, située dans l'hypothalamus. Cette région centrale du cerveau lui permettra de différencier le jour et la nuit. Pour ce faire, *l'horloge circadienne* s'appuie sur des éléments externes comme la lumière, l'obscurité, le bruit ou l'absence de bruit et les repas. Entrent également en ligne de compte la température corporelle, la faim ou la satiété et le taux d'hormones sécrétées. Les hormones associées au sommeil sont :

- l'hormone de croissance,
- la mélatonine,
- le cortisol.

Conseils d'amie

Sans attendre, mettez en place des repères afin d'aider votre bébé à faire la différence entre le jour et la nuit, notamment en jouant sur certains éléments de l'environnement : lumière vive et bruits pour le jour, obscurité et silence pour la nuit.

De combien d'heures de sommeil votre bébé a-t-il besoin ?

De la naissance à 6 semaines

Au cours de ces premières semaines qui sont merveilleuses mais épuisantes pour vous, le sommeil de votre bébé est intimement lié aux tétées. La vie de votre bébé est, en effet, rythmée par la faim et un état de somnolence. Les tétées se succèdent toutes les deux ou trois heures et rares sont les bébés qui, entre deux tétées, dorment d'un sommeil paisible et profond.

Jusqu'à 6 semaines, les touts-petits dorment entre 15 et 18 heures par jour.

De 6 à 16 semaines

Les bébés dorment plus longtemps et mangent moins souvent. Vers 8 semaines, un bébé dort généralement 6 heures d'affilée durant la nuit. Bien évidemment, c'est une moyenne et certains font leur nuit plus tôt et d'autres plus tard. Au fil des semaines, votre bébé ne dort plus que 14 à 16 heures par jour. Les phases de sommeil sont plus longues et votre enfant dort d'un sommeil profond et réparateur.

De 4 à 6 mois

Votre bébé est de plus en plus actif. Il commence à manger des aliments solides et boit moins de lait, même s'il a encore besoin de téter une fois durant la nuit. Il dort entre 6 et 10 heures par nuit et fait deux à quatre siestes dans la journée, ce qui représente au total entre 14 et 15 heures de sommeil.

De 6 à 12 mois

Votre bébé est très actif. À 6 mois, il s'assoit ; à 9 mois, il se déplace, la plupart du temps à quatre pattes ; à 1 an, il commence à gambader. Vous êtes heureux et fiers de voir votre bébé franchir ces différents caps. Votre bébé et vous-mêmes avez réellement besoin de dormir pour récupérer. Normalement, à cet âge, les bébés ne tètent plus la nuit. En fait, une tétée la nuit risque de dérégler votre enfant et diminuer son appétit le jour. Votre bébé passe entre 13 et 14 heures à dormir, réparties de la manière suivante : 10 à 12 heures de sommeil la nuit plus une sieste le matin et une sieste l'après-midi.

De 12 mois à 2 ans

Entre 1 et 2 ans, votre enfant grandit très rapidement. Il se déplace seul et dort entre 12 et 14 heures. Certains enfants ne font plus qu'une sieste de plusieurs heures au milieu de la journée.

Nombre d'heures de sommeil chez un bébé

- 0 - 6 semaines (bébé né à terme et en bonne santé) : 15 à 18 heures
- 6 - 16 semaines : 14 à 16 heures
- 4 - 6 mois : 14 à 15 heures
- 6 - 12 mois : 13 à 14 heures
- 12 - 24 mois : 12 à 13 heures

Pour passer une bonne nuit

Dans ce chapitre, vous apprendrez :

- comment mettre en place un rituel efficace à l'heure du coucher ;
- comment protéger votre bébé durant son sommeil ;
- comment gérer les siestes de votre bébé.

Le rituel du coucher

Mettre en place un rituel à l'heure du coucher est ce que vous pouvez faire de mieux pour aider votre enfant à passer une bonne nuit. Mais après une journée de travail bien remplie et harassante, vous n'avez pas toujours les ressources et l'énergie nécessaires pour respecter un rituel qui demande du temps et de la patience. Vous trouverez la motivation nécessaire lorsque vous aurez goûté aux avantages qu'un rituel aura pour vous et votre bébé. Idéalement, le rituel du coucher repose sur des *étapes successives* qui mènent progressivement votre bébé vers son lit et une bonne nuit de sommeil. Au fil du temps, chaque étape devient un facteur déclencheur de sommeil à part entière. Le rituel est plus ou moins court ou plus ou moins long en fonction de votre personnalité et de votre emploi du temps, l'essentiel étant que votre bébé sente qu'il est aimé et que tout se déroule selon un schéma familier. Avant de définir un rituel, il est impératif de prendre en compte les habitudes familiales, les valeurs auxquelles vous et votre conjoint(e) croyez et votre mode de vie.

À chacun son rythme

Un rituel est efficace si, au final, votre bébé s'endort. C'est pourquoi, il est primordial que vous teniez compte de son rythme et de ses besoins. Pas question de commencer un rituel si c'est pour revenir quelques minutes plus tard dans le salon pour jouer avec votre bébé ou regarder un DVD. Un rituel du coucher qui fonctionne bien dure approximativement trente minutes.

Conseils d'amie

Démarrez le rituel lorsque vous voyez que votre bébé commence à montrer des signes de fatigue. La manière dont les choses se déroulent est plus importante que l'heure en elle-même.

Si votre bébé a fait une longue sieste et s'il s'est réveillé en fin d'après-midi, mieux vaut retarder l'heure du coucher que de dire « l'heure c'est l'heure ». Agissez en fonction de votre bébé et couchez-le lorsque vous sentez qu'il est prêt à faire sa nuit. Si votre enfant est plein d'énergie mais que vous voulez à tout prix le coucher, attendez-vous à ce qu'il pleure, qu'il crie et perçoive comme quelque chose de négatif le fait d'aller dans son berceau ou dans son lit.

Les facteurs déclencheurs du sommeil

Toute action associée à l'endormissement répétée jour après jour deviendra rapidement un facteur déclencheur du sommeil. C'est pourquoi, respecter toujours le même rituel est non seulement important mais également *utile* à vous, parents. Choisissez les éléments qui vous semblent favoriser l'endormissement chez votre bébé et faites en sorte qu'ils soient non seulement faciles à mettre en place mais aussi sources de plaisir – après tout, vous y aurez recours chaque soir.

Facteurs déclencheurs de sommeil

- Un bain chaud.
- Une chanson ou des jeux dans le bain.
- Un massage.
- Des phrases types ou une histoire racontée avant d'aller au lit.
- Un rituel pour souhaiter une bonne nuit à votre bébé avant de le laisser s'endormir paisiblement.

À l'heure du bain

Introduire le bain dans le rituel du coucher ne peut qu'aider votre enfant à s'endormir, notamment si l'habitude est prise dès votre retour de la maternité. Le simple fait de prendre son bain sera pour votre bébé le signal qui annonce que la fin de la journée est proche et qu'il est bientôt l'heure de dormir. Avant de baigner votre bébé, assurez-vous que vous avez à portée de la main tout ce dont vous avez besoin pour le préparer pour la nuit et que vous n'aurez pas à retourner dans le salon.

Le bain doit être un moment agréable de la journée pour votre bébé mais aussi pour vous. Éteignez la télévision, la radio et mettez le répondeur afin de ne pas être dérangé par le téléphonique. L'heure du bain est un moment privilégié pour montrer à votre enfant combien vous l'aimez. Ce contact intime et l'attention portée à votre bébé ne peuvent lui procurer que du bonheur et une sensation de bien-être – en un mot tout ce qui lui faut avant d'aller au lit et passer une bonne nuit.

Si votre bébé aime taper dans l'eau, s'éclabousser et faire du bruit, pas de panique ! Laissez-le évacuer son trop-plein d'énergie. Il sera temps de tamiser la lumière et de parler à voix basse lorsque vous regagnerez sa chambre.

Dans nombre de familles, c'est le père qui donne le bain en rentrant du travail. Ce moment permet d'établir une relation intime entre un papa souvent absent et son enfant.

Si votre bébé s'excite dès que son père rentre du travail, il n'y a pas matière à vous inquiéter. En effet, très rapidement il fera le lien entre l'arrivée de son papa, le bain et l'heure du coucher.

Si votre bébé a de l'eczéma ou une peau sèche, on vous a peut-être conseillé de ne pas lui donner un bain tous les jours. Bien évidemment vous devez suivre les recommandations des spécialistes. Néanmoins, aujourd'hui, nombre de pédiatres et de dermatologues préconisent un bain chaud (mais pas trop). En cas de doute, demandez conseil à votre pédiatre ou à votre dermatologue. En effet, il est toujours dommage de ne pas inclure le bain dans le rituel du soir si cela est envisageable.

Si vous préférez baigner votre bébé le matin ou si vous n'avez pas d'autre possibilité, essayez néanmoins d'intégrer dans le rituel du soir quelques éléments associés au bain. Par exemple, tamponnez la peau de votre bébé avec une serviette lorsqu'il est nu sur le matelas à langer ou fredonnez une chanson lorsque vous lui faites sa toilette intime.

Si vous ne baignez pas votre bébé le soir, il est important de lui nettoyer le visage, de lui laver les mains et les fesses, de lui mettre une couche et un pyjama propres. Si votre bébé a des dents, nettoyez-les.

Autres facteurs

Essayez autant que faire se peut de ne pas avoir recours aux mobiles, lanternes magiques et autres lampes, cassettes audio, CD, DVD, etc. qui non seulement sont relativement encombrants mais qui peuvent à tout moment tomber en panne. Si votre enfant prend l'habitude de s'endormir en regardant le mobile au-dessus de son lit ou les ombres que la lanterne magique dessine sur le plafond de sa chambre, vous devrez les emporter avec vous dès que vous partirez en week-end ou en vacances, ce qui risque de vous compliquer sérieusement l'existence. Les meilleurs facteurs déclencheurs du sommeil sont de l'ordre de *l'affect* : câlins, gestes tendres, toutes ces choses que vous faites et tous ces mots que vous dites à votre bébé.

Instaurer un rituel au coucher présente plusieurs avantages : votre bébé s'endort plus facilement et il se sent *sécurisé* et heureux. Les bébés et les enfants sont sensibles aux rituels, aux habitudes, à tout ce qui est établi et régulier. Essayez de vous mettre à la place de votre enfant et vous comprendrez qu'un petit être dépendant des adultes a besoin d'être rassuré par les habitudes et tous ces mots et gestes qui montrent qu'il est aimé.

Une routine qui fait merveille

- Commencez le rituel un peu avant l'heure à laquelle vous savez que votre bébé est prêt à dormir.
- Mettez tout ce dont vous avez besoin pour préparer votre bébé pour la nuit à portée de la main afin de ne pas avoir à revenir dans le salon.
- Suivez scrupuleusement le rituel choisi en utilisant chaque soir les mêmes expressions et en faisant les mêmes gestes.
- Baignez votre bébé sauf, bien évidemment, si pour une raison médicale ou autre cela n'est pas envisageable. Chantez-lui toujours la même chanson.
- Mettez-lui une couche et un pyjama propres.
- Après le bain, emmenez directement votre bébé dans sa chambre.
- Donnez-lui le sein ou un biberon.
- Lisez-lui une histoire ou chantez-lui une chanson pour lui souhaiter une « bonne nuit ».
- Couchez-le dans son berceau ou son lit quand il est encore éveillé mais prêt à se laisser aller peu à peu dans les bras de Morphée.

Lorsque Pauline est née, je lui ai donné le sein à la demande et je ne me suis jamais préoccupée d'instaurer un rituel pour le coucher. Son père et moi n'aimions pas l'idée d'imposer des horaires à ce petit bout de chou. Nous étions ravis d'avoir notre petite fille avec nous le soir d'autant qu'elle grandissait et grossissait bien, et qu'elle était adorable.

Lorsque Pauline a eu 6 mois, je me suis aperçue qu'elle était de plus en plus agitée le soir et j'ai compris qu'elle avait besoin d'un cadre plus structuré. Je pense aussi que c'est à ce moment-là que j'ai réalisé que mon mari et moi avions besoin de nous retrouver seuls le soir et d'avoir à nouveau une vie de couple.

Nous avons décidé de mettre en place un rituel qui serait un moment agréable passé en famille. Mon mari donnait le bain à Pauline et lui mettait sa couche et son pyjama. Puis je prenais la relève. J'allaitais Pauline, je lui lisais une histoire et je la couchais. Nous avons découvert que cette routine n'avait rien de contraignant mais qu'elle nous permettait au contraire de profiter différemment de notre petite fille. Pauline appréciait que son papa lui donne le bain tout comme elle appréciait se retrouver avec moi au calme dans sa chambre pour la tétée. Nous nous sommes aperçus que, depuis que nous respectons ce rituel, notre petite fille dort mieux et est beaucoup plus détendue.

Avec le recul, je réalise que nous aurions dû réagir plus tôt et je me souviens que souvent le soir notre petite fille était très agitée. Nous la prenions à tour de rôle dans nos bras pour la calmer alors qu'en fait elle était épuisée et qu'elle ne demandait qu'à être tranquillement dans son berceau.

Un peu plus loin, nous verrons comment apprendre à votre enfant à aller se coucher seul. Mais pour qu'il franchisse cette étape sans problème, il est impératif que vous mettiez en place un rituel le plus tôt possible et que vous compreniez que c'est lorsque votre enfant n'a plus ces repères qu'il risque de se réveiller et de vous appeler en pleine nuit, lorsqu'il est dans la phase de sommeil la plus légère.

Ce que vous devez éviter de faire

- Laisser votre bébé s'endormir en tétant.
- Lui faire un câlin ou le garder dans vos bras jusqu'à ce qu'il s'endorme.
- Le laisser tripoter vos cheveux ou pincer votre peau (plus fréquent que vous ne le pensez).
- Lui donner une tétine (une sucette) pour qu'il s'endorme sauf si dans les semaines qui suivent la naissance, il souffre de coliques ou de reflux gastro-œsophagien (pour plus d'informations sur le sujet, reportez-vous auchapitre 7).

Comment diminuer les risques de mort subite du nourrisson

Dès lors que vous mettez en place un rituel – quel qu'il soit –, vous devez garder à l'esprit la sécurité de votre bébé. Lorsque vous le couchez et durant son sommeil, assurez-vous toujours qu'il ne court aucun risque.

Le syndrome de la mort subite du nourrisson (MSN) reste – même si cela se produit fort heureusement moins fréquemment que par le passé – l'une des plus grandes craintes des parents. Or il suffit de prendre certaines mesures pour éliminer nombre de facteurs pouvant entraîner ce drame.

La position

Allongez votre bébé sur le dos en veillant à ce qu'il n'ait pas trop chaud. Beaucoup de professionnels de la santé publique recommandent aux parents de faire dormir leur bébé dans une gigoteuse qui assure un couchage en toute sécurité. Réglez la turbulette à la taille de l'enfant afin qu'il ne puisse pas glisser à l'intérieur. Ne placez pas le berceau ou le lit de votre bébé près d'un radiateur ou de toute autre source de chaleur et ne les exposez pas directement à la lumière du soleil.

Ne plus couvrir son bébé avec draps et couverture aurait considérablement fait chuter le nombre de victimes de la mort subite du nourrisson qui, en France, s'élève à 250 cas par an. (Sources : *Magazine de la Santé-France 5 d*u 19-02-08 / Association nationale Vivre et Naître / Centre de référence de la mort subite du nourrisson.)

Jusqu'à ses 2 mois et pour des raisons pratiques évidentes (dont les tétées la nuit), il est possible d'installer le berceau ou le lit du bébé dans la chambre de ses parents. Les semaines qui suivent le retour de la maternité, les parents en effet préfèrent avoir le lit de leur bébé à côté du leur afin de pouvoir tout de suite réagir lorsque l'enfant pleure la nuit.

Une fois que votre bébé fait ses nuits, mieux vaut installer son berceau dans sa chambre. Cela vous évitera bien des problèmes par la suite.

La literie

Il ne faut pas faire dormir les enfants de moins de 1 an avec une couette et un oreiller. Ne mettez jamais une couverture chauffante ou une bouillotte dans le lit de votre bébé.

Les sacs de couchage en peau d'agneau ne présentent pas de risque à condition de coucher votre bébé sur le dos. Ils sont notamment préconisés chez les enfants nés prématurément, la texture garantissant des sensations proches des sensations éprouvées par le fœtus baigné par le liquide amniotique. (Résultats d'une étude conduite par une équipe du Cambridge Maternity Hospital.)

Les gigoteuses sont recommandées car elles garantissent une température constante. Optez pour les gigoteuses en coton, chaudes mais légères. Elles ne doivent jamais être recouvertes avec une couette ou un édredon. Une fois encore, réglez la turbulette afin que l'enfant ne glisse pas à l'intérieur de la gigoteuse. Les nids d'ange dotés d'une capuche sont à éviter. Si l'enfant tourne la tête sur le côté, la capuche peut l'empêcher de respirer.

Le berceau ou le lit

Idéalement, le matelas doit être neuf. Si vous avez récupéré le berceau dans lequel vous dormiez lorsque vous étiez bébé ou si votre meilleure amie vous a prêté un lit, assurez-vous que le matelas est propre et qu'il n'est ni troué ni usé. Le matelas doit être ferme, uniforme et doit parfaitement s'adapter au berceau ou au petit lit. En effet, s'il est trop petit, votre bébé peut glisser et se coincer la tête ou les membres. Les matelas ventilés aux multiples alvéoles sont déconseillés car ils sont très difficiles à entretenir. Ne couchez jamais votre bébé sur un oreiller, un pouf, un canapé ou un matelas à eau.

Les tours de lit longtemps décriés ne font pas, comme on le pensait, augmenter la température corporelle du bébé. Il est toutefois recommandé de les retirer lorsque l'enfant se tient en appui sur ses mains et ses genoux, soit vers l'âge de 3 mois, car il risque de s'y agripper pour se relever voire de basculer et tomber du lit. (Source : Centre de référence de la morte subite du nourrisson.)

La température

La température ambiante doit être comprise entre 18 °C et 20 °C. Certains parents ont tendance à augmenter le chauffage car ils craignent que leur bébé prenne froid ; or un bébé dort mieux s'il n'a pas trop chaud. La nuit, le chauffage doit être au minimum. Réglez le thermostat.

Pour voir si votre enfant a chaud ou froid, touchez son ventre ou son cou. Ne vous fiez pas à la température de ses mains ou de ses pieds qui souvent sont plus froids que le reste du corps.

Un enfant ne doit jamais avoir trop chaud ou transpirer durant son sommeil.

Dormir avec son bébé

Pour une sécurité maximale, allongez votre bébé sur le dos dans son berceau ou son petit lit. Les deux premiers mois, quand le bébé passe autant de temps à boire qu'à dormir et que les nuits sont une succession confuse de tétées, de changes, de bercements et de brefs instants de sommeil, avoir son enfant à portée de bras est pratique. Certains parents trouvent même que partager la chambre plus longtemps – jusque dans l'enfance – est pratique pour tout le monde.

Mais si vous ne comptez pas partager votre chambre indéfiniment avec votre bébé, ce qui est préférable, le meilleur moment pour procéder à la séparation est probablement quand il n'aura plus besoin de boire souvent pendant la nuit (c'est-à-dire entre 2 et 4 mois). Si vous manquez de place, installez son berceau ou son lit dans la pièce la plus proche de votre chambre et laissez les portes ouvertes.

Ne prenez pas votre bébé avec vous dans votre lit, notamment si :

- vous ou votre conjoint(e) fumez (même si vous ne fumez pas à la maison) ;
- vous ou votre conjoint(e) avez consommé de l'alcool ou prenez des substances ou des médicaments susceptibles d'entraîner une somnolence ;
- vous ou votre conjoint(e) êtes très fatigué(e) ;
- votre bébé est né prématurément ou était de petit poids à la naissance (moins de 2,5 kg) ;
- votre bébé a moins de 3 mois.

Les parents qui dorment avec leur bébé doivent être conscients des risques encourus. En effet, ils peuvent à tout moment rouler sur leur bébé et l'étouffer. Le bébé peut aussi tomber du lit ou se coincer entre le lit et le mur. La plus grande vigilance est de rigueur. La tête du bébé ne doit jamais être couverte ou à proximité d'un oreiller et les draps, couverture ou couette doivent être légers. Ne dormez jamais avec votre bébé dans un canapé ou un fauteuil.

Si vous n'avez pas encore mis en place de rituel et que vous pensez que la seule solution est de laisser pleurer votre enfant seul dans son lit, assurez-vous toujours qu'il est en bonne santé, qu'il n'a pas de fièvre et qu'il ne risque pas de se faire mal ou de se blesser.

Précautions pour diminuer les risques de mort subite du nourrisson

- Ne fumez pas durant la grossesse – ce conseil est valable également pour les pères.
- Interdisez à toute personne de fumer dans la pièce dans laquelle se trouve votre bébé. Le tabagisme passif serait l'une des causes de la mort subite du nourrisson.
- Couchez votre bébé sur le dos.
- Veillez à ce que votre bébé n'ait pas trop chaud.
- Assurez-vous que la tête de votre bébé n'est pas couverte.
- Consultez un médecin ou un pédiatre dès que le comportement ou la santé du bébé vous inquiètent.
- Ne dormez jamais dans le même lit que votre bébé notamment :

  – si vous ou votre conjoint(e) fumez – même si vous ne fumez qu'en dehors de la maison ;

  – si vous ou votre conjoint(e) avez consommé de l'alcool ;

  – si vous ou votre conjoint(e) avez pris des substances ou des médicaments susceptibles d'entraîner une somnolence ;

  – si vous ou votre conjoint(e) êtes très fatigués ;

  – si votre bébé est né prématurément ou pesait un petit poids à la naissance.
- Ne dormez jamais avec votre bébé dans un canapé ou sur un fauteuil.

À l'heure de la sieste

Au cours de ces dernières années, les spécialistes de la petite enfance ont révisé leur jugement quant au rythme et au déroulement des tétées et des siestes. Les parents ont souvent du mal à respecter les horaires notamment lorsqu'ils ont des enfants plus âgés. Nombreux sont ceux qui, par exemple, n'ont pas d'autre choix que d'emmener leurs aînés à l'école à l'heure de la sieste. Pour vous rassurer, sachez que votre bébé ne doit pas impérativement faire toutes ses siestes dans son berceau ou son lit. L'essentiel étant qu'il se repose, qu'il soit dans un landau, un porte-bébé ou même sur un siège-auto.

Important

Il n'est pas impératif que votre enfant soit dans son berceau ou son lit pour bénéficier des bienfaits de la sieste.

Lorsque Sophie est née, Pierre avait déjà 2 ans. Je craignais de ne pouvoir respecter le rythme des siestes comme je l'avais toujours fait pour Pierre du fait des différents déplacements liés aux activités de mon aîné. Même lorsque nous étions à la maison, j'avais l'impression que Sophie n'était jamais au calme.

Sophie s'est très vite accoutumée à dormir dans son landau et sa sieste la plus longue correspond à la sieste de Pierre. En fait, elle s'est d'elle-même réglée sur le rythme de son frère.

Je pense qu'elle n'a jamais souffert des allers et venues. Je pense même qu'elle a appris à dormir n'importe où, ce qui est plutôt bien. Nous pouvons l'emmener partout avec nous ce qui n'était pas le cas avec Pierre.

Pour ce qui est de la sieste, je vous conseille vivement d'observer votre bébé afin d'identifier le moindre signe de fatigue. C'est lui qui doit vous guider. Votre enfant a plus de chances de se reposer si vous agissez en fonction de ses besoins que si vous le couchez à une heure fixe. N'attendez pas qu'il soit épuisé pour le coucher car il risque alors d'avoir du mal à s'endormir.

Comment savoir si votre bébé est fatigué :

- il se frotte les yeux,
- il bâille,
- il pleure,
- il devient grincheux.

Comment calmer votre bébé avant l'heure de la sieste :

- Ne l'accaparez pas sous peine qu'il devienne irascible.
- Installez-le dans son berceau ou dans son landau en évitant de lui parler ou de faire du bruit et laissez-le seul afin qu'il se détende.
- Si votre bébé pleure et que vous ne voulez pas le laisser seul, restez près de lui et posez une main sur son corps afin de le réconforter et le rassurer.
- Évitez de le prendre dans vos bras car il risque de se remettre à pleurer dès que vous l'installerez à nouveau dans son berceau ou dans son lit.

- Bercez-le dans son berceau ou son lit mais pas dans vos bras.
- Le caresser risque plus de l'énerver que de le calmer s'il est très fatigué.
- Faites en sorte que les siestes soient les plus régulières possibles mais adaptez-vous à son rythme.
- Plus important que tout : ne vous découragez pas si votre bébé ne dort jamais à la même heure dans la journée.
- Au fil des semaines, votre bébé a moins besoin de dormir. Comprenez-le et acceptez-le, même si cela bouleverse votre organisation.
- Votre bébé peut avoir du mal à dormir la nuit si ses siestes sont trop longues ou s'il dort en fin d'après-midi.
- Inversement, si votre bébé ne dort pas suffisamment dans la journée, il peut être trop fatigué et énervé le soir pour se détendre et s'endormir paisiblement.
- Si votre bébé est trop fatigué, il refusera de manger ou il s'endormira au moment de la dernière tétée et il risque d'avoir faim dans la nuit.

Nombre de siestes selon l'âge du bébé

0 - 6 semaines	4 à 8 siestes par jour, soit entre 7 h 30 et 9 heures de sommeil, l'idéal étant que votre bébé fasse une sieste toutes les 2 heures.
6 - 8 semaines	4 siestes par jour, soit environ 6 heures de sommeil réparties entre 2 ou 3 siestes de 30 à 60 minutes, plus une sieste d'environ 2 heures.
4 - 6 mois	3 siestes par jour, soit environ 3 à 4 heures de sommeil réparties ainsi : une petite sieste dans la matinée, une grande sieste au milieu de l'après-midi et une petite sieste en fin de journée.
6 - 12 mois	2 siestes par jour, soit 2 à 3 heures et demie de sommeil.
12 - 24 mois	Une sieste d'environ une heure et demie le plus souvent au milieu de la journée. Certains bébés font en plus une petite sieste dans la matinée ou en fin de journée.

Conseils d'amie

- Si votre bébé ne dort pas à des heures régulières durant la journée, essayez néanmoins que l'heure du coucher soit toujours à peu près la même.
- Un bébé qui s'endort toujours le soir à la même l'heure aura moins de mal à se régler durant la journée.

Votre enfant souffre-t-il d'un trouble du sommeil ?

L'attitude et le seuil de tolérance des parents quant au rythme du sommeil de leur bébé varient d'une personne à l'autre. Pour certains, donner plusieurs fois la tétée la nuit à un bébé de plus de 4 mois ou prendre un bambin de 1 an dans leur lit ne pose aucun problème. D'autres s'inquiètent dès lors que le sommeil de leur bébé ne correspond pas à ce qui est décrit dans les manuels spécialisés. Les plus intransigeants affirment que, pour gérer la pression liée à leur vie professionnelle, il est impératif que leur bébé dorme bien de jour comme de nuit.

Or les bébés ne font pas tous leur nuit au même âge. Certains dorment plusieurs heures d'affilée dans les semaines qui suivent leur naissance alors que d'autres se réveillent encore pour téter vers 6 mois voire plus. Certains bébés ont besoin de plus de sommeil que d'autres.

Afin de définir si votre bébé souffre ou non d'un trouble du sommeil, posez-vous les questions ci-dessous :

1) Mon bébé est-il content et jovial quand il est éveillé ?
2) Mange-t-il bien ?
3) Grandit-il et grossit-il régulièrement ?
4) Se réveille-t-il doucement et sans pleurer ?
5) Aimez-vous les tout-petits et appréciez-vous de passer du temps avec votre bébé ?
6) Même si vous êtes fatigué, trouvez-vous l'énergie et le temps pour pratiquer une activité sans votre bébé ?

Si vous avez répondu « oui » à la plupart de ces questions, il est probable que, même si votre bébé se réveille la nuit, il dorme suffisamment. Si vous avez répondu « non » à la plupart des questions, allez plus loin dans votre réflexion :

1) Votre bébé est-il grincheux et irascible lorsqu'il est éveillé ?
2) Votre bébé s'endort-il souvent au moment de la tétée et devez-vous le réveiller pour qu'il boive ?
3) Êtes-vous inquiet quant à sa prise de poids ?
4) Votre bébé s'endort-il tout d'un coup et se réveille-t-il tout aussi brusquement en pleurant ?
5) Trouvez-vous que vous occuper de votre bébé est stressant et difficile ?
6) Êtes-vous épuisé et avez-vous le sentiment de ne pas avoir une minute à vous ?

Si vous avez répondu « oui » à la plupart de ces questions et que vous avez le sentiment que votre bébé ne va pas bien, il est possible qu'il souffre d'un trouble du sommeil. Inutile de vous alarmer ! Chaque problème, aussi sérieux soit-il, peut être résolu. Reportez-vous au chapitre correspondant à l'âge de votre bébé et voyez quelle solution s'offre à vous.

Faciliter le sommeil des bébés

Dans ce chapitre, vous apprendrez :

- comment aider votre bébé à prendre de bonnes habitudes afin qu'il ne se réveille plus la nuit ;
- comment aider votre bébé à se calmer et à se rendormir seul quand il pleure ou se réveille la nuit ;
- comment nourrir votre bébé la nuit sans qu'il fasse l'association tétée-sommeil.

De 0 à 6 semaines

Au cours des semaines qui suivent la naissance de son bébé, la préoccupation majeure de la maman est de s'assurer que son fils ou sa fille se nourrit suffisamment, ne souffre d'aucune carence, grandit et grossit bien, quel que soit le mode d'alimentation (sein ou biberon).

Il est également très important que la mère consacre beaucoup de temps à son enfant, qu'elle le prenne dans ses bras et le câline car il n'y a pas très longtemps, il était encore bien au chaud et à l'abri dans son ventre. La maman ne peut pas se permettre tout le temps d'avoir son bébé dans les bras – notamment si elle a d'autres enfants –, alors le porte-bébé est une bonne option car son bébé est tout contre elle mais ne l'empêche pas de vaquer à ses occupations. J'en profite pour rappeler que les femmes qui viennent d'accoucher ont besoin de se reposer dans la journée et qu'elles ne doivent pas présumer de leurs forces.

Dans le chapitre 1, nous avons vu que les bébés de 0 à 6 semaines dorment entre 15 et 18 heures par jour. Si vous pensez que votre bébé ne dort pas suffisamment, notez sur un carnet les heures auxquelles il s'endort et les heures auxquelles il se réveille. Vous aurez ainsi une idée précise du temps qu'il passe à dormir et des moments où il est réveillé. Sachez, par ailleurs, qu'entre 0 et 6 semaines, les bébés ont un sommeil léger mais qu'il leur arrive aussi parfois de s'assoupir en tétant.

Ne vous découragez pas si votre bébé ne fait pas ses nuits. Il s'agit d'une étape difficile pour vous mais rassurez-vous en vous disant que la majorité des bébés de moins de 6 semaines se réveillent plusieurs fois la nuit. Pour s'endormir sereinement, un nourrisson a besoin de sentir votre présence, de se sentir en sécurité et d'être nourri quand il a faim.

Les bébés nourris au sein demandent à téter la nuit plus longtemps que les bébés nourris au biberon. Allaiter son bébé la nuit est nécessaire car c'est la nuit que le taux de prolactine (hormone responsable de la lactation) est le plus élevé. Dans les semaines qui suivent la naissance, donner la tétée la nuit garantit une production de lait suffisante pour répondre aux besoins de l'enfant le jour suivant.

De 0 à 6 semaines : ce dont votre bébé a besoin pour bien dormir

- Une quantité suffisante de lait. Si vous l'allaitez, donnez-lui le sein à la demande. Si vous optez pour le biberon, ses besoins sont équivalents à 75 ml de lait/500 g de poids corporel sur une période de 24 heures. Un bébé de 4,5 kg boit environ 675 ml de lait en 24 heures.
- Un lit confortable et ne présentant aucun risque dans une pièce calme avec une température comprise entre 18° et 20° C.
- Des siestes fréquentes afin d'éviter une trop grande fatigue le soir.
- Un environnement plus sombre la nuit que durant la journée afin de favoriser la sécrétion de mélatonine subordonnée à la lumière ambiante.
- Des lumières tamisées et un environnement calme. Parlez à voix basse. Ne changez la couche de votre bébé que si elle est sale ou mouillée.
- La mise en place d'un rituel. Fredonnez la chanson que vous lui chantez lorsque vous le couchez le soir afin qu'il sache qu'il va aller au lit.

De 6 semaines à 4 mois

Vers 6 semaines, votre bébé vous adresse son premier sourire. C'est souvent à partir de ce moment merveilleux qu'il commence à mieux dormir la nuit. Si vous l'allaitez, comptez entre 6 et 8 semaines pour qu'il tète à des heures régulières. Nous avons vu au chapitre 1 que c'est vers 6 semaines que les bébés régulent leur sommeil. Comme la majorité des parents, vous constaterez probablement que votre bébé dort désormais plusieurs heures d'affilée la nuit. Cela tient en partie au fait qu'il est plus gros et plus robuste, même s'il ne boit que du lait – les aliments solides n'étant introduits dans son alimentation que vers l'âge de 6 mois.

Votre bébé a besoin de moins de sommeil. Il dort entre 14 et 16 heures par jour mais son sommeil est plus profond et les siestes sont moins nombreuses mais plus longues.

Pour qu'il prenne de bonnes habitudes, respectez les six conseils listés ci-dessus tout en l'encourageant *à ne pas téter la nuit.*

À cet âge, certains bébés sont perturbés par les coliques et les reflux gastro-œsophagiens. D'autres enfants sont allergiques au lait ou souffrent d'eczéma. Tous ces maux peuvent avoir des répercussions négatives sur la qualité du sommeil. Pour savoir comment réagir, reportez-vous au chapitre 7.

De 6 semaines à 4 mois : ce dont votre bébé a besoin pour bien dormir

- Des tétées à intervalles réguliers : elles sont plus conséquentes mais moins fréquentes.
- Au coucher, mettez en place un rituel simple : essayez si possible de le faire coïncider avec l'heure à laquelle votre bébé dort le plus longtemps.
- Privilégiez le confort et la sécurité. Si votre bébé dort dans un couffin, il est temps de le mettre dans un petit lit.
- Veillez à ce que votre bébé ne s'endorme pas en tétant. Donnez-lui le sein ou le biberon jusqu'à ce qu'il soit rassasié puis faites-lui faire son rot. Couchez-le ensuite dans son lit. S'il est un peu agité, caressez-le afin de l'apaiser.

De 4 à 6 mois

Vers 4 mois, votre bébé a un sommeil plus régulier. Lorsqu'il est réveillé, il vous observe et s'intéresse à tout ce qui se passe autour de lui. Pour le stimuler, veillez à ce qu'il change régulièrement d'environnement. Ne le gardez pas cloîtré dans une même pièce toute la journée mais installez-le confortablement dans un transat ou sur une chaise haute et emmenez-le avec vous dès que vous quittez une pièce. Saisissez toutes les opportunités pour lui parler et souriez-lui le plus souvent possible afin qu'il essaie à son tour de communiquer avec vous. Répondez à ses gazouillis et babillages, et encouragez-le à poursuivre sa « conversation ». Si votre bébé a une tétine ou une sucette, essayez de ne la lui donner que lorsqu'il est dans son lit. En effet, lui mettre une tétine dans la bouche dès qu'il émet un son peut avoir des répercussions négatives sur le développement du langage.

Lorsque vous êtes chez vous, profitez que votre bébé soit éveillé pour lui donner des jouets et encouragez-le à ramper jusqu'à son tapis d'éveil. Saisissez toutes les occasions pour stimuler son attention, développer sa préhension et faites-lui toucher des textures différentes. Changez-le régulièrement de position afin de stimuler ses muscles et son développement moteur. Un bébé qui reste toujours dans la même position s'ennuie. Allongez-le sur le dos, sur le ventre puis installez-le sur sa chaise haute ou dans son transat. Vers six mois, la majorité des bébés tiennent assis sans aucun support et cette indépendance leur permet d'élargir leur champ d'activités.

Allez faire une promenade au minimum une fois par jour afin que votre bébé profite de la lumière du soleil. S'il y a beaucoup de soleil, protégez sa peau très fragile avec une ombrelle et un écran total. Nombre de parents hésitent à sortir car ils ont peur de ne pas être rentrés à temps pour l'heure de la sieste. Si votre bébé s'endort dans son landau (dans son siège-auto ou dans le porte-bébé) sachez que son sommeil sera aussi réparateur que s'il était confortablement installé dans son petit lit.

Ce qui importe, c'est que votre bébé soit dans son lit lorsqu'il commence sa nuit. Pour ce qui est des siestes, ce n'est pas parce qu'il dormira une fois dans la journée ailleurs que dans sa chambre que son sommeil sera perturbé.

Entre 4 et 6 mois, la plupart des bébés dorment entre 6 et 10 heures par nuit et font deux ou trois siestes dans la journée, ce qui représente environ 13 à 14 heures de sommeil par 24 heures.

À cet âge, votre bébé a conscience du rituel que vous avez mis en place au coucher. N'hésitez pas à vous reporter au chapitre 2 pour un complément d'informations sur le sujet.

De 4 à 6 mois : ce dont votre bébé a besoin pour bien dormir

- Être stimulé tout au long de la journée.
- Faire deux ou trois siestes par jour.
- Respecter toujours le même rituel au coucher.
- Ne pas s'endormir en tétant ou dans les bras de ses parents.

Pourquoi les bébés pleurent-ils ?

Tant que votre bébé ne sait pas parler, les pleurs sont sa seule façon d'exprimer ses besoins. Pour nombre de parents, entendre leur bébé pleurer est source de stress et d'inquiétude. S'il est généralement possible d'interpréter la nature des pleurs d'un bébé et de deviner s'il a faim, s'il est fatigué ou s'il souffre, les parents ont parfois du mal à identifier ce qui ne va pas. Or, tenir un bébé qui hurle et ne pas savoir quoi faire pour le calmer est démoralisant. Jusqu'à 6 mois, prendre votre bébé qui pleure dans vos bras et le câliner pour l'apaiser *ne risque pas de faire de lui un bébé capricieux*. Votre enfant doit savoir que lorsqu'il ne se sent pas bien – pour quelque raison que ce soit – vous êtes là. Le fait de toujours répondre à ses besoins contribue à établir une relation de confiance et à le sécuriser, deux facteurs essentiels sur lesquels il s'appuiera tout au long de sa vie pour devenir indépendant. Lorsque votre bébé pleure, posez-vous les questions suivantes :

---

1. *A-t-il faim ?* Proposez-lui le sein ou le biberon même si ce n'est pas l'heure de la tétée. Il a peut-être un petit creux.
2. *Est-il fatigué ?* Couchez-le et voyez s'il s'endort. Il arrive parfois qu'un bébé pleure à chaudes larmes, s'agite et soit irascible et inconsolable uniquement parce qu'il est épuisé. La meilleure chose à faire est de le mettre dans son lit afin qu'il soit au calme.
3. *A-t-il envie de faire un rot ?* Prenez-le contre vous en veillant à ce qu'il soit en appui sur votre épaule et massez le bas de son dos en faisant des petits mouvements circulaires jusqu'à ce qu'il ait un renvoi.
4. *A-t-il trop chaud ou trop froid ?* Regardez s'il transpire ou s'il frissonne. Mettez votre main sur son abdomen afin d'estimer la température de son corps. Assurez-vous que la température ambiante est comprise entre 18 °C et 20 °C. Veillez à ce que son berceau, sa chaise haute ou son transat ne soient pas en plein soleil.
5. *A-t-il besoin d'être changé ?* Vérifiez que sa couche n'est pas souillée. Changez-la si besoin.
6. *A-t-il mal quelque part ?* Regardez s'il n'est pas trop serré dans ses vêtements, si un bouton-pression ou une fermeture à glissière ne pincent pas sa peau. Autres facteurs à prendre en considération : les problèmes de digestion et les fesses irritées. C'est à cet âge que les premières dents apparaissent, regardez si ses gencives ne sont pas enflées. Si votre bébé a très chaud et s'il est inconsolable, si ces pleurs n'ont rien à voir avec les pleurs habituels ou s'il n'a aucune énergie, appelez immédiatement votre médecin ou le pédiatre.

Les troubles suivants peuvent expliquer qu'un bébé pleure à chaudes larmes :

- les coliques,
- les poussées dentaires,
- des fesses irritées,
- une otite.

Même si ces troubles peuvent être fort douloureux, ils disparaissent rapidement avec le traitement approprié. Bien évidemment, d'autres maladies peuvent être à l'origine des pleurs et, si vous notez que le comportement de votre bébé est anormal et si malgré tous vos efforts il est inconsolable, demandez sans attendre un avis médical.

Comment réagir face à un bébé qui pleure

Certains bébés pleurent plus que d'autres. Vous avez peut-être noté que votre enfant pleurait dans certaines circonstances précises – lors des visites chez le médecin ou le pédiatre, lorsqu'il est avec d'autres bébés ou (sans aucun doute le plus stressant) lorsque vous faites vos courses... Il se peut aussi que votre bébé ne pleure pas plus que les autres enfants mais que, pour une raison ou une autre, vous ne supportiez pas ses pleurs. Sachez que, quelle que soit votre situation, vous n'êtes pas un cas isolé.

Après avoir passé en revue les points susceptibles d'être à l'origine des pleurs (voir plus haut) et éliminé toute cause physique, faites les tentatives suivantes.

Face aux pleurs de votre bébé

- N'ayez pas peur de le prendre dans vos bras afin de le réconforter si cette solution marche.
- Ne vous inquiétez pas si vous devez abandonner vos tâches ménagères. Votre priorité doit être de répondre aux besoins de votre enfant. Si vous avez des obligations (par exemple, aller chercher vos autres enfants à l'école), emmenez votre bébé dans un porte-bébé.
- Laissez les personnes présentes réconforter votre bébé si elles vous le proposent et surtout ne soyez pas offensé si elles réussissent là où vous avez échoué. Parfois, il suffit qu'un bébé change de bras ou aille dans une autre pièce pour qu'il se calme.
- Couchez-le sur le côté dans son lit et posez une main sur son dos et l'autre sur son ventre. Bercez-le doucement jusqu'à ce qu'il s'endorme puis allongez-le sur le dos.
- N'oubliez jamais que votre bébé ne fait pas exprès de pleurer. Si vous sentez la colère monter en vous, si vous êtes excédé, mettez-le dans un endroit où il ne craint rien et laissez-le seul quelques minutes. Faites quelques pas, pleurez, respirez

profondément, téléphonez à votre mère ou à votre meilleure amie afin qu'elles vous réconfortent. Lorsque vous avez retrouvé votre calme, retournez auprès de votre bébé.

- Libérez-vous du temps rien que pour vous, ne serait-ce qu'une demi-heure par jour pour prendre un bain, jardiner, lire ou vous consacrer à toute autre activité vous permettant de vous détendre.
- Parlez à votre conjoint, à votre famille ou à votre médecin traitant si vous avez l'impression d'être dépassé par la situation.
- N'hésitez pas à tirer la sonnette d'alarme lorsque vous vous sentez dépassé par une situation et adressez-vous à la PMI (Protection maternelle et infantile) dont vous dépendez pour demander des conseils.

Comment calmer un bébé qui pleure la nuit

Si votre bébé pleure la nuit, plutôt que de vous montrer intransigeant et le laisser hurler seul en vous disant qu'il va finir par se calmer, optez pour une solution moins catégorique. Après tout, votre bébé est encore bien petit et il a peut-être tout simplement encore besoin de téter la nuit.

- Après la tétée du soir, couchez votre bébé dans son lit quand il est encore éveillé. Votre bébé doit s'endormir dans son lit, pas dans vos bras.
- Si, vers 22 h ou 23 h, votre bébé tète à nouveau, recouchez-le avant qu'il se rendorme, notamment s'il a plus de 8 semaines. Ce conseil est valable s'il demande à téter plus tard dans la nuit ou aux premières heures du jour.
- Si, au cours de la nuit, votre bébé gémit mais ne pleure pas réellement, il est peu probable qu'il ait faim. Vérifiez sa position, la chaleur de son corps puis regardez si sa couche est mouillée ou sale. Une fois toutes ces possibilités éliminées, aidez-le à se rendormir mais ne lui donnez pas la tétée et ne le prenez pas dans vos bras pour lui faire un câlin.

Si les pleurs persistent, ayez recours aux solutions proposées page suivante.

Pour apaiser votre bébé âgé de 4 à 6 mois

- Tamisez la lumière et essayez d'apaiser votre bébé en restant très calme. N'essayez pas de l'amuser ou de le distraire en jouant avec lui. Le message que vous devez faire passer, c'est qu'il est l'heure de dormir.
- Si vous sentez qu'il a du mal à digérer, prenez-le dans vos bras, veillez à ce que son dos soit bien droit et que le haut du torse soit en appui contre votre épaule et essayez de lui faire faire un rot. Plutôt que de lui donner des petites tapes dans le haut du dos, massez le bas de son dos.
- Proposez-lui un peu d'eau.
- S'il hurle, prenez-le dans vos bras et bercez-le mais recouchez-le dès que vous sentez qu'il est calme et qu'il somnole. Restez près de lui jusqu'à ce qu'il dorme.
- S'il a faim, donnez-lui le sein ou un biberon mais *veillez à ce qu'il ne s'endorme pas en tétant*. Dès qu'il a terminé de boire ou qu'il commence à s'endormir, faites-lui faire son rot et recouchez-le. Si vous le jugez nécessaire, restez avec lui jusqu'à ce qu'il soit profondément endormi.
- Couchez-le sur le côté dans son lit. Posez une main sur son dos et l'autre sur son ventre, et bercez-le doucement jusqu'à ce qu'il se rendorme. Allongez-le ensuite sur le dos.

J'avais 42 ans lorsque Agathe est née. Dès sa naissance, son père et moi avons littéralement « craqué » devant ce petit être fragile. Avant même d'être enceinte, je me voyais déjà dans mon rôle de maman. Je m'imaginais avec mon bébé dans les bras, en train de jouer avec lui, de l'allaiter, etc. Malgré un accouchement difficile, j'ai aimé Agathe dès que je l'ai vue. Ce à quoi je ne m'étais pas préparée c'est à l'impact que ses pleurs auraient sur moi. Les semaines qui ont suivi notre retour à la maison, Agathe a beaucoup souffert de coliques et je me suis souvent sentie désemparée, n'arrivant pas à la calmer. Le soir, elle pleurait sans discontinuer mais refusait de prendre le sein. Il arrivait qu'elle se raidisse dans mes bras en hurlant. Je me sentais totalement impuissante et je me disais que je devais mal m'y prendre avec elle. J'ai même pensé qu'Agathe ne m'aimait pas ! Ses pleurs incessants me stressaient et me faisaient paniquer. Peu à peu, j'ai eu peur de me retrouver seule avec elle et j'ai perdu confiance en moi. Vers 3 mois, elle n'a plus souffert de coliques et j'ai enfin pu lui donner calmement le sein, la câliner et la réconforter comme j'avais toujours rêvé de le faire. Aujourd'hui, Agathe a 1 an. C'est un amour de petite fille. Je n'oublierai jamais ces premiers mois et je compatis toujours lorsque je vois des parents qui, malgré toute leur bonne volonté, n'arrivent pas à calmer les pleurs de leur enfant.

Les bébés qui ne veulent dormir que dans les bras

Certains bébés ne sont heureux et satisfaits que lorsqu'ils sont dans les bras. Il suffit de les mettre au lit pour qu'ils commencent à hurler. Nous avons vu comment gérer cette situation le jour, mais la nuit les choses se compliquent. En effet, il n'est plus question, pour des raisons pratiques et de sécurité, d'avoir recours à un porte-bébé. Par ailleurs, si vous passez vos nuits à arpenter la maison de long en large – même à tour de rôle – vous aurez tôt fait d'être épuisé.

Pour être calmes et bien dormir la nuit, les bébés doivent avoir sommeil et être sécurisés. Comme nous l'avons vu précédemment, cela implique de mettre en place un rituel auquel vous ne dérogerez pas.

Un bébé qui aime être tenu dans les bras peut lutter contre le sommeil plusieurs heures d'affilée. Restez près de lui avec une main posée sur son ventre et attendez qu'il se soit endormi pour quitter la pièce. Au fil du temps, votre enfant prendra l'habitude de s'endormir seul dans son lit et vous pourrez même retirer les serviettes ou le cale-bébé.

Donner la tétée la nuit : pour ou contre ?

Jusqu'à l'âge de 6 mois, votre bébé peut réclamer le sein ou le biberon la nuit et ce, même s'il pèse 6 kg, voire plus. À partir de six semaines, il n'y a aucune inquiétude à avoir face à un bébé en parfaite santé qui grossit normalement et qui arrête de lui-même de téter la nuit.

Si vous avez pris l'habitude de réveiller votre bébé vers 22 h ou 23 h pour le nourrir, il est temps d'arrêter. En effet, votre bébé peut le cas échéant associer sommeil et tétée et prendre l'habitude de se réveiller alors qu'il n'a pas faim, notamment durant la phase où son sommeil est le plus léger.

Ne réveillez pas votre bébé mais laissez-le se réveiller de lui-même quand il a faim. Diminuez les quantités et veillez à ce qu'il ne s'endorme pas en tétant. Couchez-le quand il est encore éveillé.

Le saviez-vous ?

Un bébé de plus de 8 semaines qui n'arrive pas à dormir la nuit plus de trois heures consécutives souffre très certainement d'un trouble du sommeil.

Comme nous le verrons dans les prochains chapitres, les troubles du sommeil chez les bébés ont deux causes : les bébés sont nourris alors qu'ils n'ont pas faim ou leurs parents leur donnent la tétée pour qu'ils s'endorment. Pour éviter que votre enfant ne souffre d'un trouble du sommeil, couchez-le toujours dans son lit quand il est éveillé.

Ne couchez jamais votre bébé sans vous être assuré qu'il a fait son rot, notamment s'il boit au biberon. Dans le cas contraire, il risque d'avoir mal au ventre et de se réveiller. Par ailleurs si votre bébé s'assoupit, lui faire faire son rot le réveillera et vous pourrez ainsi le coucher avant qu'il se rendorme.

Les tétées la nuit

- Ne laissez pas votre bébé de plus de 8 semaines s'endormir durant la tétée.
- Après la tétée, veillez à ce qu'il soit réveillé quand vous le mettez dans son lit.
- Si vous allaitez votre bébé, n'essayez pas de diminuer trop vite le nombre de tétées. En effet, c'est la nuit que la sécrétion de prolactine, hormone de lactation, est la plus élevée, ce qui vous permet de combler les besoins votre bébé le jour.
- Après avoir tété, votre bébé doit faire son rot.
- Pour lui donner la tétée, ne vous allongez pas mais installez-vous confortablement sur une chaise.
- Quand votre bébé a 4 mois et qu'il grossit bien, sautez la tétée de 22 h.

Claire, 10 semaines, est agitée le jour et dort mal la nuit

Claire est le premier bébé d'un jeune couple. Marie, la maman, est en congé de maternité alors que Pierre, le papa, a repris le chemin du travail, après son congé parental. Tous les soirs, Pierre rentre tard à la maison. Claire est nourrie au biberon. Elle mange bien et prend du poids. Elle est gaie, souriante... enfin presque toujours.

Le problème

Il arrive que dans la journée Claire soit agitée et irascible. Elle fait fréquemment la sieste mais elle se réveille très vite en pleurant et ne semble jamais s'être reposée. La nuit, elle réclame un biberon toutes les deux heures, voire moins, mais elle ne boit que quelques gorgées. Elle ne se rendort que si elle est dans les bras de son père ou de sa mère.

Les solutions

1) Claire a besoin de faire régulièrement des siestes réparatrices dans la journée et doit apprendre à s'endormir seule.
2) Dans la mesure où elle ne finit jamais ses biberons la nuit, elle devrait pouvoir progressivement se passer des tétées nocturnes.

Le plan d'action
Conseils donnés aux parents de Claire

Le jour

- L'idéal serait que Claire fasse trois siestes, deux siestes d'environ une heure et demie et une sieste plus courte en fin de journée.
- Lorsque vous êtes chez vous, faites en sorte que Claire s'endorme dans son lit. Qu'elle fasse – pour une raison ou une autre – la sieste une fois dans la journée dans sa poussette ne pose toutefois aucun problème.
- L'idéal est de coucher Claire pour la sieste deux heures après la tétée, mais ne vous polarisez pas sur les horaires et fiez-vous plutôt à ses besoins. Couchez-la dès qu'elle vous semble fatiguée.
- Si Claire prend son premier biberon à 7 h, observez son comportement vers 9 h. Si elle bâille, se frotte les yeux ou devient

grincheuse, n'attendez pas qu'elle soit épuisée pour la coucher. Dans sa chambre, tirez les rideaux afin qu'il n'y ait pas trop de lumière.

- Restez dans la chambre et, si besoin, caressez-la jusqu'à ce qu'elle s'assoupisse.
- Si elle se réveille moins d'une heure plus tard, allez la voir. Si elle pleure, réconfortez-la mais surtout laissez-la dans son lit. Si elle se rendort, laissez-la se réveiller toute seule. Si malgré tous vos efforts, vingt minutes plus tard elle ne dort toujours pas, levez-la et donnez-lui un biberon – même si ce n'est pas encore l'heure – en veillant à ce qu'elle ne s'assoupisse pas durant la tétée. Couchez-la une heure plus tôt que l'heure prévue afin qu'elle puisse récupérer.
- Donnez-lui son deuxième biberon entre 10 h 30 et 11 h. Si elle a fait la sieste, elle aura suffisamment d'énergie pour bien téter et elle appréciera ce moment.
- Environ deux heures plus tard, installez-la dans sa poussette et allez faire une promenade (les bébés ont tendance à s'endormir rapidement et les parents sont heureux de sortir de chez eux, de faire un peu d'exercice ou d'aller voir des amis).
- Emportez un biberon afin de pouvoir la nourrir vers 15 h si vous n'êtes pas de retour à la maison.
- Vers 17 h, couchez-la dans son lit afin qu'elle fasse un petit somme. Procédez comme pour la sieste du matin.

À l'heure du coucher

- Vers 17 h 30, jouez avec Claire puis, vers 18 h, donnez-lui la moitié de son biberon (quand il est l'heure de la coucher, elle est généralement trop fatiguée et elle s'endort sur son biberon sans jamais le terminer).
- Commencez le rituel du coucher environ une heure et demie à deux heures après son réveil de sa sieste.
- Donnez-lui son bain en lui chantant chaque soir la même chanson.
- Pour chaque « étape » – par exemple quand vous entrez dans sa chambre –, utilisez les mêmes mots qui, au fil du temps, seront des facteurs déclencheurs du sommeil.
- Après le bain, allez directement dans sa chambre pour lui mettre son pyjama, ou bien mettez-le-lui dans la salle de bains. Asseyez-vous sur une chaise à proximité de son lit et donnez-lui le reste de son biberon.
- Veillez à ce que la lumière soit tamisée et surtout *ne laissez pas Claire s'endormir en tétant.*
- Une fois la tétée terminée, faites-lui faire son rot en la tenant contre vous le dos bien droit et en lui chantant une chanson.

Une fois encore, pour que Claire soit rassurée et ait un repère, chantez chaque soir la même chanson.

- Baissez l'intensité lumineuse ou éteignez les lampes et couchez Claire alors qu'elle est éveillée. Si besoin, restez près d'elle et posez une main sur son corps pour la rassurer jusqu'à ce qu'elle s'endorme. D'ici quelques jours, le fait que vous soyez assis sur une chaise suffira à la rassurer.
- Lorsque Claire n'aura plus de souci pour s'endormir, vous pourrez quitter la pièce immédiatement après l'avoir couchée.

La nuit

- Couchez-vous le plus tôt possible et levez-vous à tour de rôle afin que chacun d'entre vous puisse se reposer.
- Ne réveillez pas Claire à 23 h pour qu'elle prenne son biberon mais attendez qu'elle se réveille d'elle-même.
- Pour lui donner la tétée, évitez de vous allonger mais asseyez-vous sur une chaise à côté de son lit. Lorsqu'elle a fait son rot, recouchez-la avant qu'elle s'endorme.
- Si Claire se réveille avant 5 h du matin, donnez-lui un peu d'eau et recouchez-la avant qu'elle s'endorme.
- Si elle se réveille entre 5 h et 6 h du matin, donnez-lui 90 ml de lait mais – et cela est important– recouchez-la avant qu'elle s'endorme, l'idéal étant qu'elle ne demande pas à se lever avant 7 h.
- Si Claire a pris un biberon entre 5 h et 6 h du matin, il est tout à fait normal qu'elle ne termine pas le biberon suivant.

Le résultat

Grâce aux efforts de ses parents, Claire a fait ses nuits complètes en moins de deux semaines sans passer par les pleurs ou les hurlements. Les deux premières nuits – alors qu'elle n'avait pas eu de biberon vers 22 h – elle a dormi jusqu'à 2 h. Ses parents l'ont nourrie et elle s'est rendormie sans problème. Elle a un peu pleuré vers 5 h 30 mais ses parents ont réussi à la calmer et elle s'est réveillée à 6 h 45. La troisième nuit, elle a dormi d'une traite jusqu'à 5h. Elle a bu 90 ml de lait puis elle a dormi jusqu'à 7 h 15. Claire a eu ce rythme plusieurs nuits de suite puis ses parents ont réussi à faire en sorte qu'elle se rendorme au bout d'une demi-heure sans lui donner de lait et elle s'est réveillée vers 7 h.

Les siestes se passent également beaucoup mieux depuis que Claire n'a plus besoin des bras pour s'endormir. Elle a pris l'habitude de dormir une heure et demie le matin, deux heures en début d'après-midi et une demi-heure entre 17 h et 18 h. Étant plus reposée, elle est beaucoup plus calme et pleure moins souvent dans la journée. De plus, comme elle ne tète plus la nuit, elle finit tous ses biberons dans la journée. Elle s'est parfaitement habituée au rituel du coucher et ne demande plus jamais un biberon au milieu de la nuit.

Conclusion

En mettant fin à l'association sommeil-tétée et en apprenant à Claire à s'endormir seule, ses parents lui ont permis d'avoir un sommeil régulier et de qualité. L'objectif est d'atteindre un résultat similaire de manière douce et naturelle. *Il suffit d'identifier et de comprendre les raisons à l'origine du problème pour que tout rentre dans l'ordre. Il est rarement nécessaire de mettre en place des règles strictes, pénibles à la fois pour le bébé et les parents.*

4 Aider à dormir les bébés de 6 à 12 mois

Dans ce chapitre, vous apprendrez :

- à supprimer progressivement les tétées la nuit ;
- à comprendre pourquoi votre bébé se réveille la nuit et trouver des solutions ;
- à rassurer votre bébé afin qu'il n'ait plus peur d'être séparé de vous à l'heure du coucher et qu'il accepte de s'endormir seul dans son lit ;
- à comprendre pourquoi votre bébé a du mal à faire la sieste ;
- à comprendre pourquoi certains enfants s'endorment uniquement dans le lit de leurs parents.

Votre bébé se réveille-t-il toujours la nuit ?

Le saviez-vous ?

À partir de 6 mois, la majorité des bébés n'ont plus besoin de téter la nuit et font normalement leur nuit.

Votre bébé a déjà 6 mois, mais pour vous c'est encore un petit être fragile. Si sa prise de poids est régulière et qu'il n'a aucun problème de santé, rien ne l'empêche *a priori* de faire ses nuits. Le cas échéant, que se passe-t-il ?

Dans le premier chapitre, nous avons vu que, vers 6 mois, le cycle du sommeil des bébés se fait de plus en plus long pour finalement atteindre 90 minutes. Si certains dorment paisiblement, d'autres se réveillent à intervalles réguliers. Chez les bébés de moins de 1 an, chaque cycle est suivi d'un micro-éveil physiologique pouvant durer entre une et dix minutes. Les enfants auxquels les parents ont appris à s'endormir seuls franchissent le cap des 6 mois sans problème. Au contraire, pour les enfants qui ont toujours eu du mal à s'endormir et qui se réveillent plusieurs fois la nuit, cette étape correspond souvent à une aggravation de la situation.

À cela viennent s'ajouter des changements physiologiques et comportementaux qui parfois perturbent considérablement le sommeil des bébés. Parmi ces facteurs :

- les poussées dentaires,
- une plus grande mobilité,
- l'angoisse de la séparation d'avec les parents,
- l'introduction d'aliments solides à l'heure des repas.

Les poussées dentaires

En règle générale, la première dent apparaît vers l'âge de 6 mois. Mais une fois encore, il peut y avoir des variantes. Certains bébés ont plusieurs dents à 4 mois alors que des enfants de 1 an voire plus n'en ont aucune. De même, si pour nombre de petits, la percée dentaire est plus gênante que douloureuse, d'autres souffrent le martyre.

Ce que l'on peut dire c'est que souvent, lorsque les premières dents sortent, les bébés sont grognons, agités et l'administration d'un antalgique est alors nécessaire. Pour savoir comment gérer ce passage difficile, reportez-vous au chapitre 7.

Une plus grande mobilité

Vers 6 mois, la plupart des bébés sont capables de passer de la position allongée sur le dos à la position allongée sur le ventre, mais ils ne sont pas capables de revenir à leur position initiale, ce qui explique pourquoi les parents doivent se lever plusieurs fois la nuit pour venir en aide à leur bébé coincé dans des postures peu confortables. Heureusement, au bout d'une ou deux semaines, tout rentre dans l'ordre et les enfants n'ont plus besoin de personne pour se retourner.

À partir de 3 mois, Mélodie a fait ses nuits mais lorsqu'elle a eu 6 mois, les choses ont commencé à se gâter. Notre petite fille se réveillait en hurlant dans un état proche de la panique. Nous la trouvions toujours allongée sur le ventre, le visage contre le matelas et dans la totale incapacité de se retourner. Nous avions très peur car nous savions que dans un lit la position la plus sûre pour un bébé est d'être allongé sur le dos. Notre hantise était qu'elle s'étouffe.

Au début, le premier qui entendait Mélodie pleurer se levait. Que ce soit moi ou mon mari, nous procédions toujours de la même façon. Nous prenions notre petite fille dans nos bras afin de la réconforter et une fois qu'elle était endormie, nous la remettions dans son lit. Nous repartions nous coucher mais, quelques heures plus tard, Mélodie nous réveillait à nouveau et nous la retrouvions invariablement allongée sur le ventre. Nous en avons parlé au pédiatre qui nous a rassurés en nous certifiant que cette situation était passagère et que bientôt notre fillette serait capable de se retourner toute seule dans son lit. Il nous a conseillé d'aller la voir dès qu'elle se mettait à pleurer et de la remettre sur le dos sans la prendre dans nos bras pour lui faire un câlin.

Cela allait beaucoup mieux pour elle, mais aussi pour nous. Nous avons décidé de nous lever à tour de rôle. L'un était de « garde » entre 19 h et 2 h puis l'autre prenait le relais jusqu'à 7 h. Même si les pleurs de Mélodie nous réveillaient tous les deux, un seul se levait.

Heureusement, tout est rapidement rentré dans l'ordre et Mélodie a appris à se retourner toute seule sans se réveiller.

Votre bébé passe maintenant de la position allongée sur le dos à la position allongée sur le ventre et vice versa. L'étape suivante lui permet de s'asseoir tout seul et de se mettre à quatre pattes. Il est alors beaucoup plus difficile de lui demander de rester couché lorsqu'il se réveille la nuit.

Si vous lui faites un câlin et que vous l'allongez sur le dos, soyez sûr qu'il aura tôt fait de se rasseoir. Par ailleurs, le fait de s'asseoir ou de se mettre à quatre pattes dans son petit lit le sort de son état de somnolence et il a ensuite beaucoup plus de mal à se rendormir. Si vous trouvez votre bébé assis dans son lit ou à quatre pattes, sachez qu'il aura plus de mal à se calmer et à retrouver son sommeil. Pour que les choses rentrent rapidement dans l'ordre, ne le prenez pas dans vos bras et surtout ne lui donnez pas le sein ou un biberon.

Vers 12 mois, votre bébé est capable de se lever dans son petit lit. Pour vous faire venir, non seulement il pleure, mais en plus il crie et tape sur les barreaux du lit.

Que faire si mon bébé ne s'allonge pas dans son lit ?

Lorsque votre enfant est capable de s'asseoir, de se mettre à quatre pattes ou de se lever, apprenez-lui à s'allonger et à s'installer confortablement afin de se rendormir le plus vite possible. Il est primordial que vous le mettiez dans une position propice au sommeil. Si votre bébé se relève immédiatement, envisagez l'une ou l'autre des options ci-dessous.

Option n° 1

N'allongez pas votre bébé sur le dos contre sa volonté, mais posez vos mains sur lui pour le rassurer (ou autour de lui s'il est debout) et attendez qu'il se rallonge de lui-même. Si besoin, aidez-le à trouver une position confortable mais n'allez pas contre son gré. Ne le prenez pas dans vos bras, même s'il n'attend manifestement que cela, hormis pour une raison précise (par exemple si sa couche est sale). Il peut se passer beaucoup de temps avant que votre enfant soit prêt à s'allonger. Armez-vous de patience ! Dès qu'il est couché, félicitez-le et montrez-lui combien vous êtes fier de lui. Restez à ses côtés jusqu'à ce qu'il se rendorme. Peu à peu, votre enfant apprendra à se calmer et à trouver par lui-même une position confortable. Même si vous n'intervenez pas directement, le fait d'être à ses côtés est primordial.

Option n° 2

Allongez votre bébé sur le dos, rassurez-le puis quittez sa chambre. S'il se relève ou se met à quatre pattes avant que vous ayez quitté la pièce, sortez tout de même. Revenez cinq minutes plus tard, recouchez-le en lui disant d'une voix calme et sans aucune agressivité « Il faut te coucher maintenant ». Recouchez votre enfant sans le prendre dans vos bras pour l'embrasser ou lui faire un câlin. En un mot, limitez au maximum tout contact physique puis sortez aussi vite que possible de sa chambre.

Le plus important, c'est qu'il accepte de s'allonger. Peu importe s'il se relève. Quand il sera fatigué, il ne se relèvera plus. Restez ferme et veillez à ce que le message que vous souhaitez faire passer soit clair. Ce que vous attendez de lui, c'est qu'il se couche.

Dès que votre enfant commence à s'asseoir seul, se mettre à quatre pattes ou à se lever, réglez la hauteur du couchage afin qu'il ne puisse pas basculer et tomber. Enlevez le tour de lit, notamment s'il est rigide car votre enfant peut prendre appui dessus et basculer hors du lit.

Charlélie n'a jamais été un gros dormeur. Ma mère affirmait que lorsqu'il serait plus grand et plus actif, il se fatiguerait davantage et dormirait mieux. J'ai donc attendu avec impatience qu'il commence à se déplacer à quatre pattes mais, de façon surprenante, c'est à ce moment-là que les choses se sont gâtées. Le fait de se déplacer seul le fatiguait effectivement mais à un tel point qu'il s'endormait systématiquement dans mes bras sans jamais finir son biberon du soir.

Il dormait profondément jusqu'à 2 h du matin puis il se réveillait, s'accrochait aux barreaux de son lit et se mettait debout. Il hurlait de toutes ses forces. Les premières fois, je l'ai pris dans mes bras jusqu'à ce qu'il se calme et se rendorme. Mais après un bref répit, Charlélie se réveillait à nouveau, il se levait et hurlait. Je le prenais à nouveau dans mes bras pour qu'il se rendorme puis je le recouchais jusqu'à ce que le même scénario se reproduise. Plus les heures passaient, plus il avait du mal à se rendormir et, en désespoir de cause, je le couchais dans notre lit.

C'était la seule solution pour que nous dormions ! Rapidement, Charlélie a refusé de dormir dans son lit. Dès que nous le couchions, il se mettait à hurler. Par ailleurs, la nuit il était très agité. La fatigue s'accumulait et je me suis dit qu'il était temps de faire quelque chose.

Le pédiatre nous a conseillé de coucher Charlélie dans son lit avant qu'il s'endorme. Même s'il refusait de s'allonger, nous devions quitter sa chambre après lui avoir souhaité une bonne nuit, quitte à revenir cinq minutes plus tard pour le recoucher et lui dire qu'il était l'heure de dormir.

Charlélie était un bébé si actif qu'en fin de journée il était généralement très fatigué. En général, après deux ou trois allers et retours, nous le trouvions profondément endormi.

La première nuit, il a dormi jusqu'à 2 h du matin. Lorsque nous sommes rentrés dans sa chambre, il était debout dans son lit. Nous l'avons recouché et avons immédiatement quitté la pièce. Deux minutes plus tard, Charlélie dormait. Depuis, les nuits se passent à merveille et je regrette que nous n'ayons pas réagi plus tôt.

Laisser votre bébé pleurer à chaudes larmes seul dans son lit vous semble peut-être inconcevable, soit parce qu'au fond de vous vous pensez que c'est mal, soit parce que vous avez peur que les autres membres de la famille ou les voisins se réveillent. La bonne nouvelle, c'est qu'il n'est pas nécessaire d'en passer par là dans la mesure où vous pouvez mettre en place un plan d'action que vous suivrez du début à la fin.

Marine a commencé à moins bien dormir la nuit après la première poussée dentaire. En effet, nous avions pris l'habitude de mettre du baume sur ses gencives pour apaiser la douleur et de lui faire des câlins pour la consoler. Or une fois ses dents sorties, Marine a continué à se réveiller toutes les nuits peu après que nous l'ayons couchée. Elle ne pleurait pas, elle hurlait ! Dès que je la prenais dans mes bras, elle se calmait et se rendormait. Je savais que j'aurais dû la laisser dans son lit mais je la retrouvais toujours assise ou à quatre pattes, en larmes et en train de taper sur les barreaux de son lit. Je ne pouvais me résigner à la laisser dans cet état. Je me disais qu'elle ne comprendrait pas pourquoi je la laissais dans son lit, alors qu'avant je la consolais quand elle pleurait.

J'ai décidé d'opter pour la « méthode douce ». Je laissais Marine dans son lit, je l'installais dans une position confortable sans jamais l'obliger à s'allonger et je restais près d'elle pour la rassurer lorsque j'estimais que c'était nécessaire. Peu à peu, Marine s'est habituée à rester dans son lit. La première fois que j'ai opté pour cette tactique, elle a hurlé à tel point que je me suis demandé si elle n'était pas malade. C'était terrible mais je me répétais que, même si elle se sentait frustrée, elle savait que je ne l'avais pas abandonnée. Je ne l'ai pas obligée à s'allonger mais je suis restée près elle et je lui ai tenu la main. Dès qu'elle faisait mine de s'allonger, je la félicitais.

La troisième nuit, Marine s'est recouchée dès que je suis entrée dans sa chambre et j'ai compris que nous avions franchi un cap important. Je ne lui ai pas tenu la main et je ne suis pas restée longtemps dans la pièce. La cinquième nuit, lorsque Marine a pleuré, je suis allée voir si elle ne s'était pas fait mal ou si elle n'était pas malade. Elle s'est recouchée d'elle-même et je suis sortie de sa chambre. Elle a pleuré à peu près une demi-heure mais elle ne hurlait pas comme les fois précédentes. Je ne suis pas intervenue et elle s'est rendormie. Depuis, notre fille fait ses nuits.

Même si au début j'ai dû me faire violence pour ne pas céder, je dois avouer que Marine ne semble pas avoir souffert de la situation. Dans la journée, c'est un vrai rayon de soleil et, la nuit, elle dort d'un sommeil paisible.

L'angoisse de la séparation

Le saviez-vous ?

Les nouveau-nés croient qu'ils ne font qu'un avec leur mère.

Votre bébé a 7 ou 8 mois et, depuis quelque temps, vous avez remarqué qu'il est bouleversé dès que vous quittez la pièce dans laquelle il se trouve. Jusqu'alors, il était heureux que vous soyez avec lui mais ne semblait pas particulièrement stressé lorsqu'il ne vous voyait pas.

Par ailleurs, passer de bras en bras et même être tenu par un inconnu ne lui posait aucun problème alors que maintenant il se met à pleurer quand une personne qu'il ne connaît pas ou peu le prend dans les bras, même si vous êtes à proximité.

Cette phase est difficile pour un bébé, et il est normal que que votre enfant réagisse de cette manière. En fait, un bébé pense qu'il ne fait qu'un avec sa mère. Il n'a pas conscience d'être un individu à part entière et il lui faut du temps avant de réaliser que lui et sa mère sont deux personnes différentes.

Il en prend conscience vers l'âge de 8 mois, d'où une véritable angoisse qu'il exprime en restant collé à vous et en se mettant à pleurer dès que vous le laissez. À cet âge, votre bébé est familiarisé avec la notion de *permanence de l'objet* (quand il jette un jouet hors de son lit, il sait que le jouet existe toujours, même s'il ne le voit pas). Il sait que, même si vous partez, vous allez revenir. Ce qui l'angoisse, c'est qu'il n'a pas encore la notion du temps et, lorsque vous quittez la pièce dans laquelle il se trouve, il ne sait pas quand il va vous revoir.

La séparation a un fort impact sur le sommeil. Aucun parent ne veut que son enfant ait peur ou soit angoissé, notamment lorsqu'il est sur le point d'aller au lit. S'il n'y a malheureusement aucune recette miracle pour gérer ce moment difficile, vous pouvez cependant prendre certaines mesures afin que votre bébé se sente plus sécurisé lorsqu'il n'est pas avec vous.

Comment venir en aide à un bébé « collé » à sa mère ?

- Jouez à cache-cache avec lui. Dans un premier temps, cachez votre visage derrière un journal puis cachez-vous entièrement derrière un meuble et, enfin, sortez de la pièce. Ne disparaissez que quelques secondes et faites tout plein de câlins et de baisers à votre bébé en revenant près de lui.
- Avant de le confier à une tierce personne, donnez-lui le temps de s'habituer à elle et restez avec eux le temps qu'ils fassent connaissance.
- Si vous avez l'intention de mettre votre enfant à la crèche ou de le confier à une assistante maternelle, essayez que cela se fasse avant qu'il ait 7 mois.
- Lorsque vous n'êtes pas dans la même pièce que votre bébé, parlez à voix haute ou chantez de manière qu'il vous entende même s'il ne vous voit pas.
- Respectez les rituels qui rythment la journée et la soirée afin que votre bébé soit sécurisé et qu'il sente que sa vie est structurée.
- Ne laissez jamais votre bébé avec quelqu'un sans lui dire au revoir. Si vous partez subrepticement, il sera encore plus angoissé la prochaine fois que vous le quitterez.
- Une fois que vous aurez repris votre travail, passez le plus de temps possible avec lui le matin avant de partir et surtout le soir en rentrant. Les moments consacrés à votre enfant doivent être votre priorité. Laissez de côté les tâches ménagères et remettez à plus tard les coups de fil à la famille ou aux amis.

L'angoisse de la séparation, qui peut durer quelques semaines comme plusieurs mois, a une influence considérable sur le sommeil de votre enfant. Même s'il a franchi sans problème le cap des 6 mois, tout peut basculer vers 7 ou 8 mois.

Comme tous les parents, vous rêvez que votre enfant ne se réveille pas la nuit, mais ce n'est pas pour autant que vous avez le droit de lui imposer une expérience pouvant être traumatisante. Tant que votre enfant est angoissé à l'idée d'être séparé de vous, mieux vaut pour son bien-être psychologique que la séparation à l'heure du coucher se fasse en douceur et très progressivement.

Pour que la séparation à l'heure du coucher soit vécue le mieux possible

- Respectez toujours le même rituel afin que votre bébé soit sécurisé.
- Montrez-lui que vous l'aimez, faites-lui des câlins et embrassez-le lorsque vous lui donnez son bain et que vous lui mettez sa couche et son pyjama.
- Au moment de le coucher, assurez-vous que tout est en ordre et qu'il ne risque rien. Sortez de la pièce et revenez rapidement (par exemple, allez chercher son doudou). Soyez gai et calme.
- Racontez-lui toujours la même histoire ou souhaitez-lui une bonne nuit en respectant le même rituel puis restez à ses côtés jusqu'à ce qu'il s'endorme. Au fil des jours, éloignez-vous de plus en plus de son lit jusqu'à ce qu'il ne soit plus nécessaire que vous soyez dans la pièce pour qu'il s'endorme.
- Si vous pensez que rester avec votre bébé une fois qu'il est couché n'est pas une bonne solution, sortez de sa chambre dès que vous l'avez mis au lit mais revenez régulièrement le voir afin de le rassurer. Prenez le temps de le regarder, d'échanger de longs moments de reconnaissance pour que l'angoisse ne monte pas en lui. Si vous évitez de le regarder ou si vous ne lui parlez pas, l'angoisse va monter.
- Le lendemain, passez le maximum de temps avec votre enfant.

Quand Maïa a eu 6 mois, j'ai repris mon travail. Me séparer d'elle fut pour moi une douloureuse épreuve. Depuis qu'elle était née, nous étions toujours restées ensemble et je me demandais si sa nourrice allait savoir s'occuper d'elle aussi bien que je l'avais fait jusqu'à ce jour. Au début, tout s'est bien passé et je me suis dit que j'allais sans problème mener de front ma vie privée et ma vie professionnelle.

Mais au bout de quelques semaines, Maïa est devenue très « collante ». À la maison elle ne me lâchait pas d'une semelle et pleurait dès que je m'éloignais d'elle, ne serait-ce que de quelques mètres. Tout allait bien avec sa nourrice, mais Maïa fuyait tous les adultes qu'elle ne connaissait pas ou qu'elle n'avait pas l'habitude de voir.

Alors qu'elle s'était toujours endormie seule dans son lit, du jour au lendemain tout a basculé. Je devais la tenir tout contre moi jusqu'à ce qu'elle s'endorme mais, lorsqu'elle se réveillait et qu'elle s'apercevait que je n'étais plus là, elle pleurait à chaudes larmes. J'étais persuadée que ce revirement de situation était dû à la reprise de mon travail et, si nous en avions eu les moyens, j'aurais immédiatement donné ma démission.

En parlant avec d'autres mamans je me suis rendu compte que la majorité d'entre elles vivaient la même expérience que moi. Certaines avaient repris leur activité professionnelle alors que d'autres ne travaillaient pas. Or toutes affirmaient que leur bébé devenait de plus en plus « collant ». Même si j'ai un peu honte de le dire, je me suis sentie soulagée ! Je me suis plongée dans les ouvrages spécialisés et j'ai découvert que le comportement de Maïa était tout à fait normal, que ma fille était angoissée à l'idée de la séparation, mais que je n'avais rien à me reprocher. Cela m'a redonné confiance en moi car je savais que tout rentrerait bientôt dans l'ordre. Maïa a eu le même comportement pendant environ trois mois mais, heureusement, aujourd'hui tout va bien et c'est à nouveau une petite fille très facile à vivre.

Conseils d'amie

Ne croyez pas systématiquement que, si votre enfant est angoissé, c'est parce que vous avez repris votre travail. Vers 7 mois, cette angoisse est naturelle.

Pourquoi mon bébé ne veut-il pas dormir dans son lit ?

C'est généralement entre 6 et 12 mois que votre bébé affirme clairement ce qu'il veut et ce qu'il attend de vous. Dans nombre de familles, c'est à cet âge que bébé s'impose dans le lit de ses parents. Des facteurs isolés ou cumulés – poussées dentaires, crises de larmes, refus de se coucher, angoisse de la séparation – font qu'au bout d'un moment vous n'avez plus la force de résister et, fatigués et/ou exaspérés, vous finissez pas céder et prendre votre bébé dans votre lit. Si, dans un premier temps, vous avez l'impression de « souffler » dans la mesure où tout le monde peut enfin dormir, le sommeil n'est aucunement réparateur et parents et enfant sont rapidement exténués.

En effet, tous les bébés gigotent et donnent des coups de pied. Ils se mettent en travers du lit sans tenir compte du bien-être de leurs parents, qui, pour ne pas gêner leur chérubin, passent la plus grande partie de leur nuit la moitié du corps sur le matelas et l'autre dans le vide. Conclusion, ils se réveillent avec des douleurs dans la nuque, le dos et d'une humeur exécrable.

Plus sérieusement, dormir avec un bébé est fortement déconseillé pour d'évidentes raisons de sécurité. De plus, au fil du temps, les bénéfices que vous tirez de la situation se retournent contre vous car un bébé qui prend l'habitude de finir sa nuit dans le lit de ses parents refuse à un moment ou un autre de s'endormir seul dans son lit.

Étude de cas

Léo, 7 mois, s'endort au sein et passe la nuit dans le lit de ses parents

Le problème

Léo est le premier bébé d'un jeune couple. C'est un bébé en parfaite santé. Il grandit et grossit bien et il n'a eu aucune difficulté à s'habituer aux aliments solides. Le soir, sa maman lui donne le sein puis elle le couche dans son lit lorsqu'il est endormi. Invariablement, Léo se réveille en hurlant dans les deux heures qui suivent et le seul moyen de le calmer est de lui redonner le sein jusqu'à ce qu'il s'endorme pour se réveiller deux heures plus tard. Plus la nuit avance, plus Léo met de temps à se rendormir tant et si bien que ses parents finissent par le prendre dans leur lit. Il ne pleure plus mais il réclame sans cesse le sein.

La raison

Il est normal qu'un bébé se réveille la nuit. Le problème de Léo c'est qu'il n'est pas capable de se rendormir tout seul. Or ses parents sont convaincus que, s'il réclame le sein, c'est parce qu'il a faim. Les nuits sont difficiles car un cercle vicieux s'est mis en place. La nuit, quand Léo pleure, sa mère lui donne le sein. Conclusion : Léo ne mange pratiquement pas dans la journée car il est trop nourri la nuit. Les parents de Léo ont besoin d'être rassurés et ils doivent comprendre que, d'une part, leur fils doit moins téter la nuit pour mieux manger dans la journée et, d'autre part, que les tétés sont devenues pour lui des facteurs déclencheurs du sommeil.

Ils doivent également comprendre que, si Léo n'accepte pas de dormir dans son lit, c'est parce qu'ils le couchent alors qu'il dort déjà. Quand il se réveille, il est dans un endroit différent de celui où il s'est endormi, ce qui le perturbe fortement. Conclusion, il se met à pleurer et ses parents se précipitent et l'emmènent dans leur lit, où sa mère lui donne le sein jusqu'à ce qu'il retombe dans les bras de Morphée. Pour Léo, aucun doute : le meilleur endroit pour dormir, c'est le lit de papa et de maman !

Les solutions

Pour aider Léo à faire ses nuits complètes, ses parents doivent :

1) Le coucher dans son lit avant qu'il s'endorme afin qu'il sache où il est lorsqu'il se réveille.
2) Diminuer le nombre de tétées la nuit et ne plus laisser Léo s'endormir au sein.
3) Lui faire perdre l'habitude de dormir avec eux et lui apprendre que c'est dans son lit à lui qu'il doit passer la nuit.

Le plan d'action

Conseils donnés aux parents de Léo

- À l'heure du coucher, mettez en place un rituel que vous respecterez jour après jour. Le rituel sera constitué de plusieurs étapes qui, rapidement, seront autant de signaux qui avertiront Léo que l'heure d'aller au lit approche.
- Prononcez toujours les mêmes phrases et/ou chantez toujours les mêmes chansons qui seront autant de facteurs déclencheurs du sommeil. Un rituel efficace doit non seulement permettre à Léo de s'endormir plus facilement mais il doit aussi le sécuriser.
- Idéalement, le rituel se met en place deux à trois heures après la fin de la dernière sieste.
- Après le bain, emmenez directement Léo dans sa chambre pour la dernière tétée. La pièce est éclairée mais silencieuse.
- La tétée est écourtée si Léo s'endort.

- Après la tétée, le père de Léo peut prendre le relais et lui raconter une histoire. Chaque soir, l'histoire est la même afin qu'elle devienne un facteur déclencheur du sommeil.
- Après l'histoire, tamisez la lumière et souhaitez une bonne nuit à Léo. Qu'il somnole ou qu'il soit parfaitement éveillé, couchez-le dans son lit.

Les 1re et 2e nuits

- Que l'un de vous s'agenouille ou s'assoie à côté du lit et caresse le ventre de Léo (ou son dos s'il est à quatre pattes). Lorsqu'il commence à s'endormir, posez simplement une main sur son corps.
- Restez jusqu'à ce qu'il s'endorme. Si besoin, parlez-lui doucement en utilisant toujours les mêmes mots ou fredonnez une chanson.
- Un comportement calme et assuré sécurisera Léo. Ne le prenez pas dans vos bras. Si, pour une raison ou une autre, vous devez le faire, recouchez-le avant qu'il ne s'endorme. Le premier objectif est qu'il réussisse à s'endormir dans son lit sans téter. Il est normal qu'il n'accepte pas la nouvelle situation et qu'il hurle pour montrer son mécontentement. Par ailleurs, il est frustré car il a envie de dormir mais il n'y arrive pas. Et c'est ce que vous êtes en train de lui apprendre.
- Même si cela prend une heure voire plus, Léo finira par s'endormir. Quand Léo aura retrouvé son calme, vous pourrez rester près de son lit à condition d'éviter de le toucher. Une fois encore, Léo doit apprendre à s'endormir sans téter. Lorsqu'il aura franchi ce cap, vous pourrez le laisser seul dès que vous l'aurez couché afin qu'il passe à la seconde étape et apprenne à s'endormir seul.
- Si Léo se réveille avant 22 h, il est probable qu'il se rendorme assez facilement et qu'il ne soit pas nécessaire de lui donner la tétée ou de lui faire un câlin. Posez votre main sur son corps afin de l'apaiser.
- Si Léo se réveille après 22 h, nourrissez-le. Téter est devenu un comportement acquis.
- Mais attention ! La tétée ne doit pas excéder *cinq minutes* et ce pour deux raisons. Premièrement, Léo ne doit pas s'endormir au sein et, deuxièmement, il doit perdre l'habitude de s'endormir l'estomac plein.
- Après la tétée mais avant qu'il s'endorme, recouchez-le dans son lit. Il est probable qu'il se mette à pleurer et qu'il faille rester quelques instants auprès de lui. Même si cette situation est stressante, il est impératif que les deux parents restent calmes et ne cèdent pas à leur fils qui leur tend les bras.

- Comme la plupart des bébés, Léo devrait s'arrêter spontanément de réclamer le sein et faire ses nuits.

Les 3e et 4e nuits

- Normalement Léo s'endort maintenant dans son lit. S'il veut des câlins, restez près de lui et caressez-le. Dès que Léo s'endort, ne le touchez plus.
- Léo ne doit pas téter s'il se réveille avant 22 h. Après 22 h, les tétées sont permises à condition qu'elles ne durent pas plus de cinq minutes.

La 5e nuit et les suivantes

- Après avoir couché Léo dans son lit et être resté près de lui un petit moment, rangez les affaires qui traînent dans la chambre puis sortez. Si Léo pleure ou crie, revenez, rassurez-le, installez-le confortablement puis sortez, quitte à revenir cinq minutes plus tard. Si Léo râle ou « fait le bazar » en tapant sur les barreaux de son lit et en hurlant, laissez-le. Une fois encore, il exprime son mécontentement, ce qui est normal. Il se calmera peu à peu et finira par s'endormir.
- Si Léo se réveille, ne lui donnez pas le sein mais proposez-lui un peu d'eau. S'il a bu suffisamment dans la journée, il n'aura probablement pas soif.
- Peu importe l'heure à laquelle se réveille Léo. Agissez comme vous avez agi au début de la nuit : allez le voir pour le rassurer mais surtout ne le prenez pas dans vos bras et ne lui donnez pas la tétée.
- Léo mangera plus dans la journée pour compenser le fait qu'il ne tète plus la nuit et l'équilibre aura tôt fait de se rétablir.
- Montrez à votre enfant que vous l'aimez et que vous êtes là pour le rassurer mais que vous ne céderez pas.

Le résultat

Ayant compris pourquoi Léo n'arrivait pas à dormir dans son lit, ses parents ont repris confiance et ont été capables de réagir.

Ils ont été soulagés de découvrir qu'ils n'auraient pas à laisser leur bébé pleurer tout seul dans son lit des heures durant – ce que probablement ils n'auraient pas accepté.

Le premier soir, Léo a hurlé pendant une demi-heure puis il s'est endormi et ne s'est réveillé que quatre heures et demie plus tard. Il s'est ensuite réveillé deux autres fois et, après avoir tété cinq minutes, il s'est rendormi dans son lit. La première nuit, il a pleuré un tout petit peu mais, la deuxième nuit, il n'a rien dit. La maman de Léo a eu du mal à se lever lorsqu'elle l'a entendu grogner dans son sommeil mais elle l'a fait car elle savait que c'était pour la bonne cause. La quatrième nuit, elle n'a pas donné le sein à Léo. Lorsqu'il s'est réveillé, elle s'est contentée d'aller le voir, de le remettre dans une position confortable puis elle est sortie de la chambre. Sachant qu'il n'aurait pas à téter et qu'il ne dormirait pas dans le lit de ses parents, Léo s'est rendormi très vite.

La cinquième nuit, Léo a dormi de 19h à 7h30. Depuis, il fait des nuits complètes et ses parents peuvent enfin se reposer.

Conclusion

Les parents de Léo ont compris pourquoi leur bébé n'arrivait pas à dormir dans son lit, ce qui leur a permis de mettre en place une stratégie adaptée reposant sur plusieurs étapes et de résoudre le problème de Léo. Tout s'est passé en douceur et Léo n'a subi aucun traumatisme.

Introduction d'aliments solides

De la naissance à 6 mois, tous les besoins nutritionnels de votre bébé sont comblés par le lait maternel ou le lait maternisé. Les réserves en fer qui se sont constituées durant les neuf mois de grossesse sont suffisantes pour que votre enfant ne souffre d'aucune carence. À partir de 6 mois, le fer est fourni dans les aliments solides. Autrefois, les bébés étaient sevrés vers 4 mois mais, depuis quelques années, nous savons qu'un sevrage précoce est non seulement inutile mais qu'en plus l'organisme des tout-petits n'est pas prêt à accepter des aliments autres que le lait maternel ou le lait maternisé.

Si votre bébé souffre de troubles digestifs, notamment de coliques, d'allergies, d'intolérances alimentaires ou de reflux gastro-œsophagiens, suivez les recommandations de votre pédiatre, de votre médecin traitant ou de votre diététicien : ils sauront vous dire exactement quand commencer et comment procéder pour que le sevrage de votre bébé se passe le mieux possible. Parfois, introduire des aliments solides dans le régime d'un bébé fragile ne résout pas les troubles du sommeil dont il souffre mais, au contraire, les aggrave. En effet, le changement d'alimentation peut entraîner des maux de ventre, des diarrhées et l'aggravation de certaines maladies cutanées comme l'eczéma.

Chez les enfants qui n'ont aucun mal à s'endormir et qui ne tètent qu'une fois dans la nuit, l'introduction d'aliments solides est *souvent* bénéfique et favorise un sommeil de qualité.

Le saviez-vous ?

Penser que donner des aliments solides aux tout-petits les aidera à passer de bonnes nuits est une erreur. Les bébés qui ne prennent que le sein ou le biberon font des nuits complètes vers l'âge de 6 mois lorsqu'ils n'ont plus besoin de leurs parents pour s'endormir.

Zoé n'a jamais été une grosse dormeuse et je pensais que lorsqu'elle mangerait des aliments solides, la situation s'améliorerait. Quand Zoé a eu 4 mois et demi, je lui ai donné de la farine de riz. Ma petite fille a adoré et je suis sûre que, si je lui avais proposé plus que les deux cuillères à café recommandées chez les bébés de son âge, elle n'aurait pas refusé. Cela n'a fait que confirmer ce que je pensais, à savoir que Zoé se réveillait toutes les nuits pour téter parce qu'elle avait faim. J'avais donné la farine de riz dans l'après-midi afin que ma fille ait l'estomac plein lorsque je la coucherais.

Ce soir-là, Zoé qui, jusqu'à ce jour, avait toujours bu goulûment son biberon de 19 h s'est contentée de 150 ml au lieu des 240 ml habituels. Je ne me suis pas inquiétée outre mesure, convaincue que son manque d'appétit était dû à la farine de riz qu'elle avait mangée dans l'après-midi.

Si Zoé n'a pas passé une plus mauvaise nuit que d'habitude, elle n'a pas mieux dormi.

Ce n'est que lorsque j'ai consulté un spécialiste des troubles du sommeil que j'ai compris que, si Zoé ne dormait pas bien la nuit, ce n'était pas parce qu'elle avait faim – elle mangeait suffisamment – mais parce que j'avais pris l'habitude de lui donner le biberon pour l'endormir le soir et que, lorsqu'elle se réveillait en pleine nuit, elle avait besoin d'un autre biberon pour retrouver son sommeil. Je croyais à tort qu'elle avait faim alors qu'en fait elle avait seulement besoin de téter pour s'endormir. J'ai donc appris à Zoé à s'endormir non plus pendant, mais après la tétée du soir et depuis elle ne réclame plus de biberon lorsqu'elle se réveille la nuit. Je continue à lui donner de la farine de riz mais je sais que j'aurais pu attendre qu'elle soit plus grande pour le faire.

Pour que le sevrage se passe le mieux possible, demandez conseil à votre pédiatre ou à votre médecin traitant et lisez des ouvrages spécialisés. Il est préférable de donner des aliments solides à votre enfant au milieu de la matinée afin qu'il ne soit pas gêné la nuit par des maux de ventre, des régurgitations ou d'autres troubles désagréables. Inutile de « gaver » votre bébé en espérant qu'il fera ainsi une bonne nuit. L'apport calorique et nutritionnel des aliments solides est aussi bénéfique s'ils sont consommés le matin.

Comment savoir si mon bébé est prêt à manger des aliments solides ?

- Alors qu'il faisait ses nuits complètes, il se réveille brusquement et a du mal à se rendormir.
- Il s'intéresse aux aliments qui sont dans votre assiette.
- Il boit son biberon jusqu'à la dernière goutte, mais il réclame la tétée suivante avant l'heure.
- Il tient sa tête et n'a plus besoin d'être maintenu lorsqu'il est assis.
- Sa prise de poids est moins régulière voire stagne ou est légèrement inférieure à la normale.

Depuis que Camille est tout petit, nous avons mis en place un rituel à l'heure du coucher. À 3 mois, nous le mettions dans son lit et nous le laissions s'endormir tout seul. Il dormait si bien que nous étions obligés de le réveiller vers 22 h pour lui donner la tétée. Il buvait entièrement son biberon puis il se rendormait. À 4 h, il se réveillait à nouveau, prenait un autre biberon et redormait jusqu'à 7 h. Vers 4 mois, Camille a sauté la tétée de 4 h. Il se réveillait vers 6h, nous lui donnions un peu d'eau et il se rendormait jusqu'au matin. À 4 mois et demi, nous avons supprimé la tétée de 22 h car il ne semblait plus l'apprécier. Nous couchions Camille à 19 h et il dormait jusqu'à 7 h. Inutile de vous dire que nos amis qui avaient des bébés de l'âge de notre fils nous enviaient !

Un peu avant ses 6 mois, Camille a commencé à se réveiller vers 3 h et, malgré tous nos efforts, il n'arrivait pas à se rendormir. En désespoir de cause, nous lui avons proposé un biberon sur lequel il s'est littéralement jeté. Nous avions lu suffisamment d'ouvrages destinés aux jeunes parents pour savoir que notre fils ne faisait pas un caprice mais qu'il avait vraiment faim. Il était temps de lui proposer des aliments solides. Le lendemain, je lui ai donné de la farine de riz et il s'est régalé. Nous n'avons rien changé au rituel du coucher et, au bout d'une semaine, tout était rentré dans l'ordre.

Camille nous a fait comprendre que le biberon ne lui suffisait plus et qu'il était temps de passer aux aliments solides. C'est lui qui nous a donné le feu vert et nous avons bien fait de nous fier à lui.

Les siestes chez les enfants de 6 à 12 mois

Entre 6 et 12 mois, votre enfant change considérablement à la fois sur le plan physique et sur le plan mental, et il est concevable qu'il ne dorme plus dans la journée. En général, entre 6 et 12 mois, les enfants font deux siestes, ce qui représente deux à trois heures et demie de sommeil par jour. *Une fois encore, il n'y a pas de règle,* certains bébés se contentent d'une seule sieste de plusieurs heures alors que d'autres font trois petites siestes par jour. Il est fort probable que ces enfants dormiraient plusieurs heures d'affilée dans une poussette ou dans les bras de leurs parents mais ces solutions ne sont ni pratiques ni souhaitables. Même les parents qui sont dévoués corps et âme à leur bébé ont besoin de « respirer » et de vaquer à leurs occupations.

Vous ne devez pas oublier que, à cet âge-là, votre enfant découvre énormément de choses autour de lui, fait quantités d'expériences, dévoile ses aptitudes et développe ses compétences. Le monde qui s'offre à lui est fascinant et merveilleux avec une multitude de défis. Or découvrir le monde et relever des défis nécessite une importante dépense d'énergie de la part de votre enfant qui, à intervalles réguliers, doit « recharger ses batteries » et faire une sieste sous peine d'être épuisé en fin de journée et trop excité pour trouver le sommeil. Ayez à l'esprit que, chez un enfant, la fatigue et l'excitation entraînent des pleurs, de l'irascibilité et des nuits agitées.

Les bébés qui font la sieste ne sont pas exténués en fin de journée et dorment mieux la nuit.

Justine a toujours eu du mal à faire la sieste dans la journée. Nous pensions qu'en grandissant elle serait plus active et donc plus fatiguée et qu'elle dormirait mieux. En fait, c'est tout le contraire qui s'est produit ! Quand elle était fatiguée, Justine était grincheuse, elle pleurait et se frottait les yeux, mais, dès que nous la mettions au lit, elle devenait littéralement hystérique.

La seule solution pour la calmer était de la mettre dans la voiture et l'emmener faire un tour. Inutile de vous dire que, quand mon mari prenait la voiture pour aller travailler, je ne savais plus quoi faire.

Vers 8 ou 9 mois, la situation a empiré. Dans le meilleur des cas, Justine faisait une petite sieste dans la journée. Elle se réveillait plusieurs fois la nuit et, à 5 h, plus question de fermer l'œil. Notre fille dormait au maximum dix heures par jour.

Le plus étonnant, c'est qu'elle ne semblait pas fatiguée. Elle était très active et curieuse de tout. Avec le recul, je réalise qu'en fait, elle était très irascible et je pense qu'elle était si fatiguée qu'elle luttait toute la journée – et elle n'était pas la seule. J'étais tout aussi épuisée que ma fille !

Cela vous rappelle quelque chose ? Les bébés tombent vite dans un cercle vicieux : s'ils ne dorment pas suffisamment le jour, ils dorment mal la nuit et, le lendemain, ils ont du mal à faire la sieste et ainsi de suite. Alors qu'on s'attendrait à ce qu'ils soient léthargiques et somnolents, les bébés en manque de sommeil sont *hyper-actifs*, ils n'arrivent pas à se détendre et ont du mal à dormir.

La meilleure manière de briser ce cercle infernal est d'aider votre enfant à mieux dormir la *nuit*. La nuit, votre enfant est dans un environnement propice au sommeil. La première chose à faire est de le coucher quand il est encore réveillé. S'il est hyperactif, vous serez probablement tentés de le laisser s'endormir en tétant ou lorsqu'il est dans vos bras. Or agir ainsi ne peut que se retourner contre vous. En effet, dès qu'il se réveillera, votre enfant vous réclamera. De plus, s'il s'endort épuisé dans vos bras, vous ne lui donnez pas l'occasion d'apprendre à se détendre et à s'endormir seul, ce qui est indispensable au moment de la sieste.

Si vous pensez que votre enfant est éveillé lorsque vous le couchez, demandez-vous s'il *sait vraiment* que vous n'êtes plus à ses côtés. C'est le soir quand vous le couchez que vous devez lui apprendre à s'endormir seul, et non pas lorsqu'il se réveille au milieu de la nuit. En effet, c'est lorsque vous le couchez le soir que votre enfant a le plus de chances de *réussir* à trouver son sommeil. Une fois cette étape franchie, il aura plus de facilité à dormir plusieurs heures d'affilée.

Pour que votre enfant fasse une sieste réparatrice dans la journée, il est impératif qu'il ait passé une bonne nuit et qu'il soit bien reposé à son réveil. Ne vous découragez pas si, dans un premier temps, votre bébé se réveille plusieurs fois au cours de la nuit. Dites-vous que tout va finir par rentrer dans l'ordre et, chaque fois que votre bébé se réveille, profitez de l'occasion pour l'aider à apprendre à se rendormir seul. Pour des conseils pratiques, reportez-vous au chapitre 9.

Lorsque votre bébé n'aura plus aucune difficulté à s'endormir seul dans son lit, vous pourrez aborder le problème de la sieste.

Étude de cas

Dorian, 9 mois, refuse de faire la sieste et a besoin d'être dans les bras de l'un de ses parents et de téter pour s'endormir le soir

Dorian est le second enfant de Christine, maquettiste, et de Jacques, paysagiste. Sa sœur, Coline, a 5 ans. Dorian est en excellente santé. Il grandit et grossit régulièrement. Son alimentation est à base de lait maternisé et d'aliments solides. Dorian est un petit garçon jovial, très éveillé, qui se déplace à quatre pattes depuis peu.

Le problème

Depuis quelques jours, Dorian refuse d'aller dans son lit pour faire la sieste. Conclusion, il grogne, pleure et réclame en permanence sa mère. Il s'endort uniquement quand il est dans sa poussette ou dans la voiture et encore, il lutte de toutes ses forces pour garder les yeux ouverts. Quand par miracle, il s'endort, il se réveille au bout d'une demi-heure en pleurant et en se frottant les yeux, et il n'est plus question pour lui de dormir.

Parallèlement, Dorian a de plus en plus de mal à s'endormir le soir. Il est clair qu'il est épuisé. Christine lui donne son biberon dans sa chambre. Elle éteint la lumière et attend que son fils s'endorme en tétant. Si le biberon est terminé mais que Dorian est encore éveillé, elle le berce et ce n'est que lorsqu'il dort profondément qu'elle le couche. Comme vous vous en doutez, Dorian se réveille dans la nuit et réclame les bras. Il se rendort mais, à 5 h, plus question de rester au lit.

Les solutions

Pour aider Dorian à faire la sieste et à passer des nuits paisibles :

1) Ses parents doivent lui apprendre à s'endormir seul le soir.

2) Ils doivent ensuite mettre à profit cette tactique pour aider leur fils à faire la sieste.

Le plan d'action

Conseils donnés aux parents de Dorian

- Mettez en place un rituel à l'heure du coucher, constitué de plusieurs phases qui indiquent à Dorian que l'heure de dormir approche, qui le rassurent et, peu à peu, favorisent son endormissement.
- Idéalement, le rituel commence vers 18 h. Si vers 17 h, Dorian s'endort, sa sieste ne doit pas excéder 40 minutes et le rituel du coucher commence alors deux heures et demie après son réveil. Concrètement si Dorian dort de 16 h 30 à 17 h, le rituel commence vers 19 h 30.
- Après le bain, allez dans la chambre de Dorian et donnez-lui son biberon. N'éteignez pas la lumière et faites en sorte que votre fils reste éveillé.
- Pendant que l'un des parents s'occupe de Dorian, l'autre couche Coline et lui dit qu'il ne faut pas qu'elle s'inquiète si elle entend son petit frère pleurer, que c'est normal parce que ses parents essaient de lui apprendre à s'endormir tout seul comme un grand garçon mais que tout va bien.
- Après la tétée, racontez une histoire à Dorian. Au fil des jours, l'histoire deviendra l'un des éléments déclencheurs du sommeil, tout comme l'étaient les bras de maman. C'est pourquoi il est primordial que l'histoire soit la même chaque soir.
- Une fois l'histoire terminée, couchez Dorian avant qu'il s'endorme.

Les 1re et 2e nuits

- Embrassez Dorian et faites-lui des câlins afin de l'apaiser. Lorsqu'il a retrouvé son calme, posez une main sur son corps ou tenez-lui la main.
- Si Dorian se met à quatre pattes ou debout, agenouillez-vous près de son lit et entourez-le de vos bras mais surtout ne le levez pas. Parlez-lui ou chantez-lui une chanson. Dès qu'il montre des signes de fatigue, allongez-le et, si vous le jugez nécessaire, faites-lui un câlin, mais surtout laissez-le dans son lit. Il est essentiel que Dorian s'endorme dans son lit et, même s'il pleure et hurle pour montrer son mécontentement, restez calme et montrez-lui que vous l'aimez.

Les 3e et 4e nuits

- Poursuivez le rituel mis en place les deux nuits précédentes mais essayez d'être moins présent. Souhaitez une bonne nuit à Dorian, faites-lui un bisou puis évitez de le regarder et de le toucher.

Les 5e et 6e nuits

- Après avoir couché Dorian, rangez les affaires qui traînent dans sa chambre puis sortez. Si besoin, retournez le voir et rassurez-le.

La 7e nuit

- Après avoir souhaité une bonne nuit à votre fils, restez une minute ou deux dans sa chambre puis sortez sans faire de bruit. Si Dorian pleure ou vous appelle, retournez le voir, caressez-le pour l'apaiser puis ressortez (ne restez pas plus de cinq minutes dans la pièce). Allez le voir autant de fois que nécessaire afin que la situation n'empire pas, l'essentiel étant que vous ne soyez pas dans sa chambre lorsqu'il s'endort.
- Comme les nuits précédentes, couchez-vous le plus tôt possible et attendez-vous à ce que Dorian vous réveille plusieurs fois. C'est normal, il est perturbé. N'allez pas le voir dès que vous l'entendez, il se peut qu'il se rendorme sans que vous ayez à intervenir. Si les pleurs persistent, rassurez-le mais surtout ne le prenez pas dans vos bras.
- Si Dorian se réveille avant 7h, faites en sorte qu'il se rendorme. À partir de 7h, ouvrez les volets, dites-lui bonjour et faites-lui un gros câlin.

Les siestes

- Tout au long de cette semaine, couchez Dorian à des heures régulières afin que son organisme prenne le rythme de la sieste. Dans un premier temps, vous pouvez l'emmener faire une promenade en poussette ou en voiture.
- L'expérience montre qu'il est plus difficile de faire faire la sieste à son enfant que de l'aider à faire ses nuits. Le plus important dans le cas de votre fils, c'est qu'il se repose suffisamment dans la journée afin de ne pas être trop fatigué et agité le soir pour s'endormir.
- L'idéal est que Dorian fasse une sieste le matin et une sieste l'après-midi et que l'une (peu importe laquelle) soit plus longue que l'autre. Dès que vous notez un signe de fatigue – il bâille, se frotte les yeux, râle ou pleure –, mettez-le au lit afin qu'il se repose. N'attendez pas qu'il soit trop fatigué pour le coucher.
- Faites en sorte qu'il fasse une sieste le matin vers 10h et une l'après-midi vers 15h. Bien évidemment, ces horaires sont flexibles (à plus ou moins une heure). Mieux vaut se fier au comportement de Dorian qu'à la pendule.
- Si Dorian se réveille au bout de 45 minutes, mais semble toujours fatigué, laissez-le dans son lit afin qu'il se rendorme. Si, par contre, il semble bien reposé, levez-le.

- Maintenant que Dorian s'endort seul le soir, concentrez-vous sur les siestes. Finies les promenades en poussette ou en voiture, il est temps que votre fils fasse la sieste dans son lit. Au fil des jours, vous saurez vers quelle heure il a besoin de se reposer et il vous sera plus facile de vous organiser.
- Mettez en place un petit rituel : tirez les rideaux de la chambre, changez la couche de Dorian et mettez-le en sous-vêtements. Lisez-lui l'histoire du soir, couchez-le puis quittez la pièce. Si Dorian pleure, revenez pour le rassurer, mais repartez au plus vite. Peu à peu, votre fils apprendra à s'endormir tout seul.
- Si la sieste dure plus longtemps qu'à l'accoutumée, il n'y a pas d'inquiétude à avoir. Toutefois, pour ne pas trop perturber le rituel du soir, mieux vaut que Dorian ne dorme pas après 16h.
- Quand il sera plus grand, Dorian pourra ne faire qu'une sieste par jour.

Le résultat

Il a fallu attendre deux semaines pour que Dorian fasse ses nuits complètes et deux siestes par jour mais, dès le premier jour, ses parents ont noté des progrès considérables.

Depuis qu'il a son compte de sommeil, Dorian est de meilleure humeur et colle moins à sa mère. Toute la famille ne s'en porte que mieux. Coline est elle aussi ravie car ses parents sont moins fatigués et ont plus de temps à lui consacrer.

Christine n'avait pas réalisé à quel point elle était fatiguée à force de passer toutes ses journées et toutes ses nuits avec Dorian. Elle peut enfin se reposer.

Les parents de Dorian ont trouvé que régler tout d'abord les problèmes de la nuit avant de se préoccuper des problèmes de la sieste était judicieux car tout s'est fait en douceur. De plus, comme le rituel du coucher avait marché, ils ont eu plus de facilité à mettre en place le rituel de la sieste.

Les siestes chez les enfants de 6 à 12 mois

- Fiez-vous au comportement de votre enfant et couchez-le dès que vous voyez qu'il a besoin de se reposer.
- Une fois que votre bébé aura pris l'habitude de s'endormir seul le soir, vous aurez moins de mal à ce qu'il s'endorme seul à la sieste.
- À l'heure de la sieste, couchez votre bébé lorsqu'il est encore éveillé.

- Mettez en place un petit rituel qui lui indique qu'il est temps d'aller dans son lit faire un petit somme.
- Si votre bébé se réveille rapidement, laissez-le dans son lit et, si besoin, faites-lui un câlin pour l'aider à se rendormir.
- Votre bébé est unique et ce qui vaut pour les autres enfants de son âge ne lui convient pas nécessairement. À chacun son rythme et ses besoins.
- Si votre enfant s'endort dans sa poussette ou dans son siège-auto lors d'une sortie, cela n'est pas grave, laissez-le dormir.
- Faites preuve de flexibilité : en grandissant, votre bébé n'a pas les mêmes besoins.
- Ne vous précipitez pas pour lever votre bébé s'il se réveille après une courte sieste. S'il n'a pas son compte de sommeil, il y a fort à parier qu'il se rendorme.

Les enfants de 6 à 12 mois qui dorment dans le lit de leurs parents

Les enfants de 6 à 12 mois dorment dans le lit parental pour deux raisons :

1) Ils s'endorment dans le lit de leurs parents au début de la nuit.
2) Ils ont l'habitude que leurs parents les prennent dans leur lit lorsqu'ils se réveillent la nuit ou aux premières heures du jour.

Vous aurez peut-être un jour l'impression que votre bébé déteste son lit ou en a peur. Les enfants nous font toujours comprendre quand quelque chose leur déplaît et, si votre fils ou votre fille pleure chaque fois que vous le ou la couchez, il est légitime que vous pensiez que la raison des pleurs est liée au lit. En fait, il est peu probable que son lit ne lui convienne pas. En règle générale, ce qu'un bébé déteste c'est être confronté à des choses qui ne lui sont pas familières.

Imaginons le scénario suivant :

Tous les soirs, vous respectez le même rituel (bain, change, pyjama), puis vous vous allongez sur votre lit pour donner la tétée à votre petite fille. Soit elle s'endort en tétant, soit elle se blottit tout contre vous à la fin de la tétée et s'endort. Lorsqu'elle est profondément endormie, vous la couchez dans son lit et, sans faire de bruit, vous quittez la pièce. Invariablement elle se réveille en hurlant. Vous vous précipitez dans sa chambre et vous la prenez dans vos bras. Vous lui donnez un biberon ou vous lui faites un câlin jusqu'à ce qu'elle se rendorme. Si c'est encore la nuit, vous la recouchez dans son lit, mais si c'est le matin, vous la prenez avec vous dans votre lit. Dans le premier cas, vous savez pertinemment qu'elle va à nouveau se réveiller et que, cette fois, vous la garderez avec vous. Elle finira sa nuit entre papa et maman avec en prime un biberon ou un câlin si elle se réveille.

Ça vous dit quelque chose ?
Imaginons maintenant un autre scénario :

Après le bain du soir, vous racontez une histoire à votre petite fille puis vous lui donnez son biberon dans sa chambre. Quand vous la couchez, elle est soit endormie, soit éveillée ; dans ce dernier cas, elle s'endort rapidement et généralement sans pleurer. Le problème, c'est que votre fille se réveille toujours la nuit. Épuisés, vous vous levez à tour de rôle et vous la prenez dans votre lit. Elle se calme immédiatement et se rendort jusqu'au matin. À plusieurs reprises, vous avez tenté de la recoucher dans son lit mais elle finit toujours par se réveiller. Ne supportant plus d'entendre ses pleurs, vous avez fini par céder et la garder avec vous.

Dans le premier scénario, il est clair que votre petite fille se réveille car elle ne se rend jamais compte du moment où vous la mettez dans son lit. Chaque fois qu'elle se réveille, elle est prise de panique car elle n'est plus là où elle était lorsqu'elle s'est endormie. Face à ses pleurs, vous la prenez et la couchez dans votre lit (un endroit familier qui la rassure). Peu à peu, son lit est devenu un endroit qui lui est désagréable et où elle ne veut surtout pas rester.

Dans le second scénario, votre petite fille s'endort sans problème dans son lit mais elle s'est habituée au *rituel* qui veut qu'elle rejoigne ses parents au beau milieu de la nuit. Très tôt, les bébés et les enfants s'accrochent aux rituels et tous les comportements habituels et prévisibles deviennent rapidement très importants pour eux. Dès que l'on change un rituel (notamment le rituel du soir), ils protestent énergiquement. Il est normal que votre enfant n'apprécie pas que vous décidiez de modifier les habitudes que vous avez mises en place. Ses protestations n'ont rien à voir avec la peur ou le sentiment d'être abandonné pas plus qu'avec la peur de son lit.

Ne vous méprenez pas et, avant de vous ruer sur votre bébé pour le lever et de vous précipiter dans un magasin pour acheter une nouvelle literie, réfléchissez aux bénéfices que vous et votre enfant pourriez tirer si vous arriviez à le persuader que son lit est un endroit où il ne craint rien et où il peut dormir en toute quiétude.

Quand Valentin a eu 6 mois, nous l'avons installé dans sa chambre mais, dès le début, nous avons eu l'impression qu'il détestait son lit. J'étais profondément déçue car j'avais passé beaucoup de temps et dépensé beaucoup d'énergie pour lui aménager un endroit agréable, intime et chaleureux. Nous avions opté pour un lit à barreaux amovibles que nous pourrions retirer quand Valentin serait plus grand. Mais j'avais le sentiment que notre fils ne se sentirait jamais bien dans sa chambre.

Le soir, je lui donnais la tétée dans ma chambre et il s'endormait au sein. J'avais choisi ce lieu pour la dernière tétée de la journée car je pouvais m'allonger sur mon lit et me détendre en regardant la télévision. La tétée durait aussi longtemps que le souhaitait Valentin. Je dois avouer que mon fils a été bercé par le générique des émissions télévisées !

Lorsqu'il était endormi, je le mettais dans son lit. Jusqu'à minuit tout allait bien puis Valentin se réveillait et, malgré tous mes efforts, il n'arrivait pas à se rendormir. Je savais qu'il n'avait pas faim car il mangeait correctement dans la journée et, par ailleurs, lorsque je le mettais au sein, il ne tétait pas. Il lui arrivait même de me montrer la porte du doigt comme pour me dire qu'il voulait que je l'emmène dans ma chambre. Dès que nous sortions de la pièce, il se détendait et, dès que je le couchais dans mon lit, il s'endormait. Mon mari se levait et, tel un somnambule, allait finir sa nuit sur le canapé du salon.

Nous avons consulté le pédiatre de Valentin qui nous a dit que ce qui se passait n'avait rien à voir ni avec sa chambre ni avec son lit. Il m'a conseillé de ne plus donner la tétée du soir dans ma chambre mais dans celle de Valentin (pendant ce temps, mon mari enregistre mes émissions préférées que je regarde plus tard dans la soirée), et de le coucher dans son lit avant qu'il s'endorme. Les deux premières nuits, Valentin a hurlé mais, au bout d'une demi-heure, il a fini par s'endormir. Il s'est réveillé une fois dans la nuit. Je lui ai donné le sein dans sa chambre et je l'ai recouché aussitôt après. Je suis restée un petit moment auprès de lui mais les nuits suivantes je suis sortie directement et tout s'est bien passé. Cette expérience a été certes difficile mais enrichissante. Au bout d'une semaine, Valentin faisait ses nuits. Mon mari n'a plus besoin de changer de lit au milieu de la nuit. Valentin est un petit garçon plus heureux qu'avant et je suis persuadée que c'est parce qu'il a maintenant son compte de sommeil. Ni mon mari ni moi n'avions réalisé à quel point dormir avec notre bébé nous avait épuisés. Et c'est seulement depuis que nous dormons tous mieux la nuit que nous pouvons profiter pleinement de notre vie à trois.

Le saviez-vous ?

Votre bébé ne demande qu'à passer toute la nuit dans son lit. S'il pleure pour dormir avec vous, c'est uniquement parce que vous l'avez habitué à ce qu'il finisse la nuit dans votre lit.

Si votre enfant veut dormir avec vous, c'est parce qu'il a pris cette habitude, cela ne veut pas forcément dire qu'il est effrayé.

Diminuer les tétées la nuit

Vers 6 mois, un bébé en bonne santé, qui grandit et grossit régulièrement et commence à manger des aliments solides dans la journée, n'a plus aucune raison sur le plan nutritionnel de téter la nuit. Nombre de bébés cessent d'eux-mêmes de réclamer à boire la nuit lorsque leur poids avoisine les 6 kg et lorsqu'ils n'ont plus besoin de leurs parents pour se rendormir. Alors pourquoi certains bébés réclament encore la tétée la nuit alors qu'ils pourraient fort bien s'en passer ?

- Téter est un facteur déclencheur du sommeil.
- Téter est un comportement acquis.
- Téter la nuit est devenu un rituel.

Étude de cas

Morgane, 12 mois, ne s'endort qu'au sein

Morgane est la benjamine de la famille. Ses sœurs, Mathilde et Marie, ont 5 et 3 ans. Les deux petites filles partagent la même chambre et ne se réveillent jamais la nuit. Morgane a une chambre pour elle toute seule. Bébés, Mathilde et Marie avaient autant de mal que Morgane à dormir la nuit. Toutes deux ont tété la nuit jusqu'à l'âge de 1 an. La mère, Véronique, s'occupe désormais à plein temps de sa petite famille. Le père, Martin, travaille à temps plein.

Morgane n'a aucun problème de santé. Elle grandit et grossit bien et elle marche depuis peu.

Le problème

Ce n'est pas parce qu'elle se dépense plus depuis qu'elle marche que Morgane dort mieux. Tous les soirs, elle s'endort au sein puis elle se réveille jusqu'à six fois par nuit. Après quelques gorgées, elle se rendort. Dans la journée, elle ne lâche pas sa mère d'une semelle, elle semble tout le temps fatiguée et elle refuse pratiquement tous les aliments solides que Véronique lui propose. Il y a fort à parier que son manque d'appétit est dû au fait qu'elle boit trop de lait la nuit.

La solution

Pour mieux dormir la nuit et avoir un meilleur appétit le jour, il semble urgent que Morgane arrête de téter la nuit. Si, à une époque, la tétée apaisait Morgane et lui permettait de dormir, aujourd'hui c'est ce qui la pousse à se réveiller.

Le plan d'action
Conseils donnés aux parents de Morgane

Phase n° 1

- Véronique doit aider sa fille afin qu'elle ne fasse plus l'association tétée-sommeil. Pour faciliter les choses, l'idéal serait que Martin se lève la nuit car, dès que Morgane est avec sa maman, elle réclame le sein. Dans un premier temps, Martin s'occupera de Morgane dès les premières heures du jour afin que Véronique puisse se reposer. Pour des raisons pratiques, Véronique et Martin ont décidé de mettre en place ce changement un vendredi soir.
- L'idéal serait que Morgane ne fasse pas la sieste du début d'après-midi et ne prenne pas le sein après 15 h.
- Au dîner, proposez-lui des aliments riches en glucides et, tout au long de la journée, donnez-lui souvent à boire (de l'eau ou du lait maternel). Dans la mesure où elle n'a pas un gros appétit, proposez-lui des petites portions aux repas, quitte à la resservir.

- Mettez en place un rituel du coucher. Après le bain, emmenez directement Morgane dans sa chambre et veillez à ce qu'elle soit couchée vers 19h30.
- Pendant que Véronique s'occupe de Morgane, Martin se charge de Mathilde et de Marie.
- Véronique donne le sein à Morgane et lui parle afin qu'elle ne s'endorme pas. Véronique ne doit pas s'allonger pour donner la tétée mais s'asseoir sur une chaise. Dans le cas contraire, Morgane croit que sa maman va passer la nuit avec elle.
- Après la tétée, faites un câlin à Morgane et racontez-lui une histoire – la même chaque soir. Si Morgane ne veut pas regarder le livre, montrez-lui seulement la couverture puis passez à la phase suivante du rituel.
- Souhaitez une bonne nuit à votre petite fille puis couchez-la.
- Quand Morgane pleure, caressez-la pour la réconforter voire mettez-vous tout contre elle afin de la sécuriser le plus possible, l'essentiel étant qu'elle reste dans son lit. Il suffit de la prendre dans vos bras pour qu'elle réclame le sein et il est difficile de le lui refuser. *Si Morgane s'endort dans son lit, même si elle pleure et même si vous êtes obligée de rester à ses côtés, il y a de gros progrès et vous êtes sur la bonne voie.* Dites-vous que les pleurs de Morgane n'ont rien à voir ni avec la faim ni avec la peur. Elle est fatiguée et frustrée parce qu'elle veut dormir mais qu'elle n'y arrive pas. Or ce que vous êtes en train de lui apprendre, c'est à trouver son sommeil.
- Dès que Morgane commence à s'endormir, vous pouvez rester près d'elle à condition de ne pas la regarder et de ne pas la toucher.
- Une fois la petite fille endormie, quittez la chambre sans faire de bruit et… allez vous coucher.
- Si Morgane se réveille, donnez-lui le sein dans sa chambre puis recouchez-la avant qu'elle s'endorme.
- Il y a fort à parier que Morgane se mette à pleurer. Le calme et la patience sont de rigueur. Morgane a besoin de réconfort. Dans quelque temps, elle aimera être dans son lit. Les quelques conseils ci-dessous vous seront bien utiles. Dès qu'une étape est franchie, passez à la suivante.

Après une tétée très courte (ne devant pas excéder quelques minutes) :

Étape n° 1 Caressez Morgane ou mettez-vous tout contre elle pour lui faire un câlin. Ne la prenez pas dans vos bras et ne lui redonnez pas le sein si elle le réclame. Morgane doit s'endormir dans son lit.

Étape n° 2 Asseyez-vous près du lit de Morgane et posez la main sur son corps. Éventuellement caressez-la mais seulement quelques instants. Dès qu'elle s'endort, cessez de la toucher.

Étape n° 3 Asseyez-vous près du lit de Morgane et posez votre main sur sa main.

Étape n° 4 Éloignez-vous du lit. Quand Morgane commence à s'endormir, ne la regardez pas et ne la touchez pas.

Étape n° 5 Après la tétée, couchez Morgane dans son lit et quittez la pièce. Si besoin, revenez pour la rassurer.

- Il est clair que Morgane réclame le sein la nuit pour deux raisons :
  – téter la nuit est un comportement acquis ;
  – téter est un facteur déclencheur du sommeil.
- En écourtant la tétée et en empêchant Morgane de s'endormir au sein, Véronique agit sur les deux tableaux.
- Si Morgane se réveille avant 6 h 30, procédez comme indiqué ci-dessus.
- *À partir de 6 h 30*, ouvrez les volets et dites bonjour à votre petite fille. Donnez-lui la tétée mais pas question de la recoucher juste après.
- La première étape peut prendre du temps. Comptez une à deux semaines avant de pouvoir passer à la deuxième. Restez fermes et respectez à la lettre le processus sans toutefois brusquer Morgane. Cette étape ne doit être traumatisante pour personne.

Phase n° 2

Martin a un rôle important à jouer. Comme pour la phase n° 1, il est fortement recommandé de mettre en place ce changement un vendredi soir.

- Véronique respecte le rituel du coucher. Morgane prend le sein vers 19 h 30. Normalement, elle ne doit pas téter avant 6 h 30.
- Chaque fois que Morgane se réveille, attendez un peu afin de voir si elle se rendort. Si les pleurs durent ou si Morgane hurle de désespoir, allez voir ce qui se passe et rassurez-la. Lorsque vous le jugez nécessaire, restez auprès de votre fille jusqu'à ce qu'elle soit calmée mais ne la prenez pas dans vos bras.
- Au bout de quelques nuits, Morgane ne fera plus l'association tétée-sommeil. Si vous avez suivi à la lettre la phase n° 1, Morgane ne s'endort plus jamais en tétant.

- Morgane a perdu l'habitude de téter la nuit et, lorsqu'elle pleure, vous la rassurez puis vous quittez sa chambre au plus vite afin qu'elle se rendorme. Le sein n'étant plus de rigueur, Véronique n'est plus obligée de se lever et Martin prend la relève.

Le résultat

Morgane a vraiment eu du mal à accepter le rituel imposé par ses parents. Pour elle, pas question de s'endormir autrement qu'en tétant et elle a parfaitement su montrer à sa mère à quel point elle était malheureuse.

Pour Véronique, ne pas satisfaire sa fille a été très pénible d'autant qu'elle avait toujours nourri Morgane à la demande. Elle a toutefois pris conscience que, pour élever trois petites filles en bas âge, il faut impérativement être en pleine forme et que, par conséquent, Morgane et elle devaient se reposer la nuit. Dès la première semaine, Véronique a noté des changements très positifs puisque Morgane est passée de six tétées la nuit à deux puis à une.

Rapidement, Morgane a eu un plus gros appétit dans la journée et maintenant elle apprécie même son repas.

Dès la deuxième semaine, Véronique a décidé de supprimer la tétée la nuit. Dans un premier temps, Morgane a pleuré mais elle finissait toujours par se rendormir et elle a rapidement fait des nuits complètes.

Conclusion

Lorsqu'ils ont compris les raisons pour lesquelles Morgane réclamait la tétée la nuit, Véronique et Martin ont pu réagir et, peu à peu, tout le monde a pu dormir la nuit. Véronique et Martin ont apprécié que le sevrage se fasse progressivement et au rythme de Morgane. Les parents dont l'enfant a du mal à dormir doivent identifier la (ou les causes) du problème et prendre les mesures adéquates afin de l'aider.

Le saviez-vous ?

Le lait maternel a une faible teneur en fer mais il est plus facilement absorbé par l'organisme que le fer contenu dans le lait maternisé. Les bébés nés à terme ont des réserves en fer qui se sont constituées tout au long de la grossesse et dans lesquelles ils puisent jusqu'à ce qu'ils aient 4 voire 6 mois. Ensuite, les besoins en fer sont comblés par les aliments qu'ils consomment.

Il est prouvé que, jusqu'à 6 mois, les bébés peuvent être nourris exclusivement avec du lait maternel. Après 6 mois, les bébés peuvent toujours téter mais le lait maternel ne suffit plus à combler leurs besoins nutritionnels et il faut alors introduire d'autres aliments dans leur régime. Un bébé qui prend plusieurs fois le sein la nuit n'aura pas suffisamment faim dans la journée pour manger des aliments susceptibles de combler ses besoins nutritionnels, ce qui peut notamment entraîner une carence en fer ou anémie.

Si votre bébé a un petit appétit, voyez avec votre médecin si ce n'est pas parce qu'il boit *trop* de lait la nuit ; peut-être vous conseillera-t-il de lui proposer d'autres aliments riches en fer et en vitamine C, qui favorise l'absorption du fer par l'organisme.

Les symptômes de l'anémie, outre le petit appétit, sont :

- pâleur de la peau,
- fatigue,
- accélération du rythme cardiaque – n'oubliez pas que le pouls d'un bébé est plus rapide que le pouls d'un adulte,
- irascibilité,
- ongles fragiles et cassants,
- atrophie de la muqueuse de la langue.

Un bébé légèrement anémié ou développant une anémie peut ne pas avoir ces symptômes.

Aliments riches en fer

- Les légumes verts à feuilles – notamment le cresson.
- La viande maigre (poulet) et le poisson.
- Les légumes secs.
- Le jaune d'œuf bien cuit.
- Les céréales enrichies pour le petit déjeuner.
- Du lait maternisé consommé seul ou mélangé à d'autres aliments.

Vous l'avez compris, il est fortement déconseillé de donner le sein à un bébé de plus de 6 mois la nuit car cela peut, d'une part, l'empêcher d'apprendre à se calmer et à se rendormir seul et, d'autre part, avoir une conséquence fâcheuse sur les siestes. Votre bébé est rapidement épuisé et incapable de trouver son sommeil sans que votre intervention. Votre bébé grandit, il bouge davantage et s'intéresse à tout ce qui se passe autour de lui. De votre côté, la fatigue s'accumule et vous avez du mal à tout gérer. Vous envisagez peut-être de reprendre votre activité professionnelle et le fait que votre bébé soit aussi dépendant de vous vous inquiète.

Un problème de sommeil temporaire de votre bébé lié à l'allaitement n'enlève aucun des bénéfices qu'il en a tirés sur les plans nutritionnel et émotionnel.

Aider son bébé à ne plus téter la nuit

- Mettre en place un rituel au moment du coucher.
- Empêcher bébé de s'endormir au sein.
- Lui chanter une chanson ou lui raconter une histoire *après* la tétée et avant de le coucher afin qu'il ne fasse pas l'association tétée-sommeil.
- Écourter le plus possible les tétés la nuit et recoucher bébé avant qu'il s'endorme.

Dans les premiers mois qui suivent la naissance, allaiter votre bébé la nuit est l'une des meilleures choses que vous puissiez faire pour lui. Vers 6 mois, hormis si votre bébé a des problèmes de santé, lui donner le sein la nuit n'est plus bénéfique et peut, au contraire, avoir un effet néfaste. Ce n'est pas parce que vous n'allaitez plus votre bébé la nuit que vous devez cesser de l'allaiter le jour.

Diminuer le nombre de biberons la nuit

À partir de 6 mois, les bébés nourris au lait maternisé n'ont pas plus besoin de téter la nuit que les bébés nourris au sein, d'autant qu'ils mangent désormais des aliments solides dans la journée. Toutefois, le rituel des tétées nocturnes est peut-être devenu une habitude à laquelle il sera difficile de mettre fin. La nuit, l'organisme de votre bébé doit se reposer, or la digestion est un processus incompatible avec une bonne nuit de sommeil.

Non seulement donner le biberon la nuit à un bébé de plus de 6 mois est inutile et mauvais pour la digestion, mais cela favorise les caries. Dès que votre bébé a une dent, nettoyez-la soigneusement *après* le biberon du soir. Si votre bébé somnole, ce nettoyage le réveillera et vous pourrez lui lire une histoire avant de le coucher.

Il est important, par ailleurs, d'insister sur l'aspect *sécurité*. Certains parents mettent un biberon dans le lit de leur bébé et quand celui-ci se réveille, il n'a qu'à tendre la main pour le prendre.

Cette pratique peut être très dangereuse. En effet, le bébé peut s'étouffer et/ou vomir.

Cinq bonnes raisons pour ne pas permettre à votre bébé de plus de 6 mois de s'endormir en prenant son biberon

1. Il fait l'association tétée-sommeil et il aura de plus en plus de mal à s'endormir s'il n'a pas son biberon dans la bouche.
2. Sur le plan nutritionnel, votre bébé n'a plus besoin de téter la nuit. De plus, trop de lait la nuit peut expliquer que votre enfant n'ait pas faim dans la journée.
3. Boire un biberon la nuit sollicite le système digestif qui a besoin d'être au repos.
4. Les dents n'étant pas nettoyées après le biberon, attention aux caries.
5. Les bébés qui ont un biberon à leur disposition la nuit risquent de s'étouffer et/ou de vomir.

Étude de cas

Paulin, 11 mois, se réveille toutes les nuits et réclame un biberon

Paulin est le fils de Karine et de Stéphane. Sa sœur, Fanny âgée de 3 ans n'a jamais eu de problème pour dormir. Paulin a sa propre chambre.

À la 38e semaine de grossesse, Karine a eu une césarienne en urgence. Paulin était en parfaite santé et les premières semaines se sont passées sans aucun problème. Jusqu'à 10 semaines, Karine a allaité Paulin puis elle lui a progressivement donné le biberon, ce qui n'a absolument pas perturbé son fils, qui grossissait régulièrement et était de plus en plus éveillé. Le seul problème rapporté par Karine est que Paulin avait souvent des rots qui restaient « coincés », notamment la nuit.

Le problème

Tous les soirs après le bain, Karine couche Paulin dans son petit lit et s'assoit près de lui pour lui donner le biberon. Généralement Paulin s'endort très rapidement sans même finir son lait. Dans les heures qui suivent, il se réveille une ou deux fois et, pour qu'il se rendorme, ses parents sont obligés de lui donner chaque fois un biberon. Ils ne le prennent pas dans les bras. Paulin boit son biberon dans son lit.

Paulin se réveille plusieurs fois et ses parents doivent lui tapoter le dos ou l'asseoir dans son lit afin qu'il fasse un rot. Vers 2 h du matin, Paulin réclame à nouveau un biberon et boit environ 240 ml de lait. Il arrive que, vers 5 h, il réclame un autre biberon.

Il est clair que Paulin n'a pas besoin de téter aussi souvent la nuit. À 11 mois, une trop grande quantité de lait la nuit perturbe le sommeil et diminue l'appétit dans la journée, ce qui explique pourquoi il mange peu d'aliments solides aux repas.

La solution

Paulin est parfaitement capable de faire ses nuits et, pour y parvenir, il est impératif :

1. qu'il s'endorme *après et non pendant* la dernière tétée ;

2. que ses parents réduisent progressivement le nombre de biberons durant la nuit. Paulin ayant l'habitude de boire une quantité importante la nuit, la meilleure solution est de diminuer, peu à peu, la quantité de lait en poudre dans le biberon.

Le plan d'action
Conseils donnés aux parents de Paulin

Les 1re et 2e nuits

- Respectez le rituel du soir en utilisant les mêmes phrases et en faisant les mêmes gestes que d'habitude, afin que Paulin se sente en sécurité et qu'il s'endorme paisiblement.
- Après le bain, mettez-lui son pyjama et emmenez-le directement dans sa chambre. Paulin boit son biberon *sur vos genoux* et non plus dans son lit.
- Lorsque Paulin est rassasié, mettez son biberon hors de vue puis racontez-lui une histoire en essayant de lui faire faire son rot. Tant que les problèmes de Paulin ne sont pas résolus, il est important que vous lui lisiez chaque soir la même histoire. Dans un premier temps, il est probable qu'il s'agite, ait du mal à se concentrer et que la séance de lecture s'éternise.
- Une fois l'histoire terminée, tamisez la lumière, fermez les volets, souhaitez une bonne nuit à votre fils et couchez-le dans son lit. Il est primordial que Paulin soit éveillé.
- Il y a fort à parier que Paulin n'accepte pas d'être dans son lit sans son biberon, qu'il se lève et se mette à pleurer pour exprimer son mécontentement. L'un de vous peut rester avec

lui voire lui faire un câlin, à condition que Paulin reste dans son lit. Peu à peu, les pleurs vont cesser et il finira pour se coucher. Félicitez-le.

- Même si Paulin pleure à chaudes larmes, rappelez-vous qu'il n'est ni affamé ni effrayé. Il est fatigué et frustré, et il *veut* dormir. Soyez positifs. Votre objectif est d'apprendre à votre fils à s'endormir sans téter. *Cela prendra autant de temps qu'il le faudra.* Ne vous découragez pas. Vos efforts et le temps investi finiront par être récompensés à condition de suivre les conseils ci-dessus.
- Paulin fera ses nuits lorsqu'il sera capable de dormir sans que *ni vous ni son père soyez dans sa chambre.* Il est donc important que vous quittiez la pièce dès que votre fils commence à dormir.

Les 3e et 4e nuits

- Paulin accepte maintenant d'aller dans son lit sans biberon. Après le câlin du soir, il s'allonge (dans le cas contraire, ne l'y obligez pas). Asseyez-vous près du lit mais évitez de le regarder et de le toucher. S'il pleure, caressez-le pour le rassurer puis retirez votre main. Dès que Paulin somnole, ne le touchez plus.

Les 5e et 6e nuits

- Une fois Paulin couché, affairez-vous dans sa chambre. Si Paulin est agité, approchez-vous du lit. Pour le moment, mieux vaut que l'un de vous soit présent quand il s'endort.

La 7e nuit

- Souhaitez une bonne nuit à Paulin, rangez quelques affaires dans la chambre puis sortez. Si Paulin vous appelle ou pleure, allez le voir. Réconfortez-le puis quittez rapidement la pièce. Si les pleurs persistent ou se font de plus en plus forts, allez le voir. Si les pleurs s'estompent, Paulin finira par s'endormir tout seul.
- Si Paulin se réveille après minuit, asseyez-le sur vos genoux et donnez-lui un biberon, la quantité de lait en poudre sera diminuée au fil des nuits (pour un biberon de 240 ml) :
  - 1re et 2e nuits : 5 doses
  - 3e et 4e nuits : 3 doses
  - 5e et 6e nuits : 1 dose
  - 7e nuit et les suivantes : uniquement de l'eau.
- Quand Paulin est rassasié, faites disparaître le biberon. Recouchez-le afin qu'il s'endorme. Si besoin, restez près de lui comme au début de la nuit.

- Les doses de lait étant inférieures aux doses habituelles, Paulin peut boire plusieurs biberons.
- Si Paulin pleure bien qu'il ait fait son rot, allez le voir pour le réconforter, mais ne le prenez pas dans vos bras.
- À partir de 6h, Paulin peut boire un biberon de lait – mais ni dans sa chambre *ni dans son lit.*
- Même si cet apprentissage vous paraît bien long, ne vous découragez pas. Ne perdez pas confiance et gardez la même *ligne de conduite.*

Le résultat

À l'heure du coucher, Karine et Stéphane ont toujours veillé à suivre le même rituel et Paulin ne dormait jamais avec ses parents. Dans la journée, il faisait une grande sieste et le soir il était certes fatigué mais jamais épuisé. Karine et Stéphane avaient déjà fait une grande part du travail et résoudre le problème des tétées nocturnes a été plus facile qu'ils ne le pensaient.

La première nuit a été la plus pénible. Paulin n'a pas supporté que le rituel change. Il a pleuré pendant deux heures d'affilée puis ses sanglots se sont estompés et il a fini par s'endormir. Il a fallu beaucoup de courage à Karine pour ne pas céder et donner un biberon à son fils. Le fait qu'elle soit restée tout le temps près de lui a été capital. Non seulement, elle soutenait Paulin mais elle livrait le même combat. Stéphane savait que ce serait très difficile pour sa femme et il est resté derrière la porte en lui disant de tenir bon et que tout allait s'arranger. Savoir que son mari la soutenait a aidé Karine à ne pas baisser les bras.

Paulin ne s'est pas réveillé comme d'habitude vers 21h, mais seulement à 2h du matin. Il a bu le biberon que lui proposait Karine (avec moins de poudre que d'habitude) mais, une fois recouché dans son lit, il a pleuré pendant une bonne demi-heure. Puis il s'est endormi et ne s'est réveillé qu'à 6h30.

Les nuits suivantes, Karine et Stéphane ont procédé à l'identique. Ils mettaient de moins en moins de lait dans le biberon mais cela semblait ne poser aucun problème à leur fils.

Paulin a même cessé de réclamer un biberon la nuit avant qu'ils ne lui proposent qu'un biberon avec de l'eau. Pendant deux ou trois semaines, il a pris l'habitude de se réveiller à 5h30. Karine et Stéphane lui proposaient un biberon d'eau et le recouchaient afin qu'il se rendorme. Si Paulin pleurait, ils allaient le réconforter. Au bout d'un mois, Paulin faisait ses nuits et se réveillait à 7h, comme le reste de la famille.

Ses parents n'ont jamais manqué de féliciter Fanny pour « s'être comportée comme une grande fille » chaque fois qu'elle restait au lit alors que son petit frère l'avait réveillée. La petite fille a ainsi eu l'impression de participer elle aussi au plan d'action mis en place par ses parents.

Conclusion

Le problème de Paulin et la solution à ce problème montrent une fois de plus que lorsqu'ils ont identifié *la raison* pour laquelle leur bébé se réveille la nuit, les parents peuvent agir afin que tout le monde passe enfin des nuits complètes sans qu'il faille pour cela laisser le bébé hurler tout seul dans sa chambre plusieurs nuits d'affilée, ce qui est relativement traumatisant.

Aider à dormir les enfants de 1 à 2 ans

Dans ce chapitre, vous apprendrez à :

- aider votre enfant à ne plus se réveiller la nuit ;
- aider votre enfant à se passer de tétine, sucette et autres totottes ;
- aider votre enfant à ne plus se lever aux premières lueurs du jour.

Votre enfant vient de souffler sa première bougie. Il grandit rapidement et, jour après jour, il ne cesse de vous surprendre. Il prononce de plus en plus de mots et s'émerveille de tout. De plus en plus indépendant, il explore le monde qui l'entoure. Encore peu assuré sur ses jambes, il visite les pièces de la maison et vide les placards. Son imagination est débordante et vous devez sans cesse surveiller ses faits et gestes. Depuis quelques semaines, le nombre de tétées s'est considérablement réduit, les crises de larmes dues aux poussées dentaires sont oubliées ; vous êtes rassurés sur vos compétences maternelles et paternelles et, même s'il vous arrive de commettre des erreurs, vous avez la certitude que votre enfant est bien dans sa tête et dans son corps.

Entre 1 et 2 ans, votre enfant est de plus en plus actif. Il a, toutefois, encore beaucoup besoin de se reposer et dort entre 12 et 14 heures par jour. Le petit somme du matin s'est progressivement écourté pour finir par disparaître, alors que la sieste en début d'après-midi est plus longue. Ne soyez pas surpris si, à l'approche de ses 2 ans, il manifeste son désaccord lorsque vous lui dites qu'il est l'heure d'aller faire la sieste. Il arrive aussi que les enfants qui, jusque-là, n'ont jamais eu de problèmes pour se coucher le soir commencent à rechigner.

Du jour au lendemain, votre enfant fait une crise à l'heure du coucher

Alors que tout s'est toujours bien passé à l'heure du coucher, votre enfant proteste dès que vous lui suggérez d'aller dormir. Pour couronner le tout, il se réveille à l'aube et refuse catégoriquement de faire la sieste. Il a une telle soif de vivre que vous avez l'impression qu'il veut profiter de chaque instant.

Or pour qu'un enfant se développe bien sur les plans physique, intellectuel et émotionnel, il est impératif qu'il ait son compte de sommeil. C'est pourquoi, vous devez, d'une part, l'aider dans la journée à faire des pauses lui permettant de lâcher prise et, d'autre part, mettre tout en œuvre pour qu'il passe une bonne nuit.

Votre enfant a une imagination débordante qui, parfois, engendre des crises d'angoisse. Afin de le rassurer, vous ne devez sous aucun prétexte déroger au rituel du coucher. En effet, des gestes familiers, la même chanson fredonnée à l'heure du bain, la même histoire lue chaque soir sont autant d'éléments qui le sécurisent. Or un bébé calme, détendu et qui se sent en sécurité a toutes les chances de passer une bonne nuit.

Quand Aubin a eu 18 mois, il a commencé à refuser d'aller au lit et de faire la sieste alors que, jusque-là, il n'avait jamais protesté ou pleuré lorsque nous le couchions, bien au contraire. Cette situation m'a fortement perturbée, car je voyais à certains signes qu'Aubin était fatigué mais il refusait catégoriquement d'aller se coucher. Or une fois qu'il était allongé, il s'endormait immédiatement, ce qui prouvait bien qu'il avait besoin de se reposer. Dans la journée, il se dépensait beaucoup, mangeait bien et n'avait aucun problème de santé. Je n'arrivais pas à comprendre pourquoi le fait d'aller au lit lui posait autant de problèmes.

Plusieurs soirs de suite, mon mari et moi sommes allés chercher Aubin qui hurlait et tapait sur les barreaux de son lit et nous l'avons descendu dans le salon. Installé sur le canapé, nous le laissions regarder un DVD ou jouer jusqu'à ce qu'il finisse par s'écrouler de fatigue. Nous le prenions dans nos bras le plus délicatement possible afin qu'il ne se réveille pas et nous le couchions dans son lit. Aubin se réveillait vers 5 h alors qu'il nous appelait habituellement vers 7 h. Il était évident qu'il n'avait pas suffisamment dormi mais nous avions beau faire, il refusait de rester couché. Invariablement, nous finissions par nous retrouver tous les trois dans la cuisine à 5 h 30. Malgré ces nuits bien trop courtes, Aubin refusait de faire la sieste. La seule solution que j'ai trouvée pour qu'il dorme l'après-midi c'était de l'emmener faire une promenade. À peine installé dans sa poussette ou sur son siège-auto, il s'endormait. Si, pour une raison ou une autre, il n'y avait pas de promenade, Aubin piquait du nez à l'heure du dîner.

En parlant avec d'autres mamans du problème que je rencontrais avec lui, j'ai découvert que la plupart d'entre elles étaient ou avaient été confrontées à la même situation. La mère d'une petite fille m'a expliqué comment elle était parvenue à se sortir de cette mauvaise passe et j'ai suivi ses conseils.

Mon mari et moi avons décidé que, même si Aubin hurlait, nous ne le prendrions plus avec nous dans le salon mais que l'un de nous ferait des allers et retours ou, si besoin, resterait avec lui dans sa chambre jusqu'à ce qu'il se calme. Inutile de vous dire que les premiers soirs ont été très pénibles. Aubin a pleuré – ou plus précisément hurlé – plusieurs heures d'affilée. Nous savions que, si nous cédions, nous n'aurions plus jamais gain de cause. Parallèlement, nous avons décidé qu'après le bain du soir, nous emmènerions directement notre fils dans sa chambre sans nous arrêter au salon. Au bout de quelques jours, Aubin n'a plus fait de scènes à l'heure du coucher. Les colères du soir ayant disparu, il passait des nuits plus paisibles et, peu à peu, il a retrouvé ses anciennes habitudes et s'est à nouveau réveillé vers 7h.

Il ne nous restait plus qu'à régler le problème de la sieste. J'ai décidé de mettre en place un rituel après le déjeuner : brossage de dents, nettoyage du visage et des mains et change. Après ce passage obligé dans la salle de bains, j'emmenais Aubin dans sa chambre et je lui lisais une histoire avant de le coucher. Dans un premier temps, inutile de vous dire que mon fils ne s'est pas privé de me montrer son désaccord. Malgré ses pleurs, je savais que je ne devais pas capituler. Je m'asseyais près de son lit et lui parlais afin de le rassurer.

Au bout d'une semaine ou deux, Aubin a compris que je ne céderai pas et, qu'il le veuille ou non, je ne le lèverai pas avant qu'il se soit reposé. Il a donc finalement cessé ses crises et a, peu à peu, accepté de faire la sieste. Depuis que notre fils a repris un rythme régulier et qu'il a son compte de sommeil, il est beaucoup plus détendu et agréable.

Entre 1 et 2 ans voire plus, nombre de bambins refusent d'aller au lit. Les enfants ayant besoin de dormir, il est impératif que les parents soient fermes mais compréhensifs. N'oubliez jamais qu'un manque de sommeil peut expliquer certains troubles physiques (chutes répétées) ou comportementaux (agressivité). Par ailleurs, plus vous attendrez pour agir, plus votre enfant aura du mal à reprendre les bonnes habitudes qui, lorsqu'il était plus jeune, lui garantissaient un sommeil paisible. Permettre à un enfant qui ne veut pas dormir de se lever, regarder un DVD ou jouer ne peut qu'aggraver la situation et avoir des répercussions négatives sur son bien-être et sa santé.

Retrouver de bonnes habitudes le soir

- Empêchez votre enfant de faire plusieurs siestes dans la journée ou de dormir jusqu'à une heure avancée l'après-midi.
- Respectez tous les soirs le même rituel.
- Attendez-vous à ce que votre enfant proteste lorsque vous le mettez au lit mais tenez bon et ne le relevez pas même s'il pique une crise.

- Félicitez-le lorsqu'il accepte de se coucher. Un compliment ne peut que l'encourager et faire qu'aller au lit ne soit plus vécu par lui comme une expérience négative.
- N'hésitez pas à avoir recours aux techniques du jeu de rôle. Couchez la poupée ou le nounours de votre fils ou de votre fille, dites-lui de lui faire un bisou et de s'allonger à ses côtés pour dormir.

Votre enfant grandit et a moins besoin de faire la sieste

Entre 12 et 18 mois, votre enfant évolue considérablement, ce qui a une forte répercussion sur son sommeil. Au fil des mois, il passe de deux ou trois siestes par jour à une seule sieste au milieu de la journée d'une durée comprise entre une heure et demie et deux heures. Ce changement est naturel et vous devez vous y préparer. Il y a de fortes chances qu'il saute en premier la sieste du matin ou se contente d'un petit somme, ce qui laisse présumer qu'il ne va pas tarder à faire une seule grande sieste réparatrice en milieu de journée. Inutile de vous inquiéter. Une fois encore c'est dans la logique des choses. Qui plus est, vous aurez plus de temps libre pour vaquer à vos occupations ou vous accorder un moment de répit bien mérité.

Votre enfant ne passe pas du jour au lendemain de deux – ou plus – siestes à une seule. En général, la transition s'effectue sur plusieurs jours, voire plusieurs semaines. Ne soyez pas étonnés si un jour il se contente d'une sieste l'après-midi mais que le lendemain il fait un petit somme le matin et une grande sieste après le déjeuner. La situation la plus difficile à gérer c'est lorsqu'il dort le matin, refuse de faire la sieste en début d'après-midi mais montre des signes de fatigue vers 17 h. En effet, le coucher après 15 h risque de perturber le rituel du soir dans la mesure où vous serez obligés de le mettre au lit plus tard que d'habitude. Je vous conseille de noter les heures auxquelles votre enfant fait la sieste, les moments de la journée où il montre des signes de fatigue, l'heure à laquelle vous le couchez, les moments de la journée où il pleurniche et se montre grincheux, le temps qui s'écoule entre le moment où vous le couchez et le moment où il s'endort, ainsi que l'heure à laquelle il se réveille. Vous pourrez ainsi plus facilement anticiper les moments de la journée les plus propices au repos. Le fait que votre enfant n'ait pas le même rythme que les autres bambins de son âge ne doit pas vous inquiéter. Chaque individu est unique. Laissez-le évoluer à son rythme.

Mon bébé refuse de faire une sieste le matin. Que faire ?

- Essayez d'identifier le moindre signe de fatigue et couchez-le dès que vous sentez qu'il a besoin de dormir. S'il a plus d'un an, attendez-vous à ce qu'il dorme de moins en moins dans la journée. C'est normal. Inutile de le mettre de force au lit.
- Acceptez qu'il saute la sieste du matin au profit d'une plus grande sieste au début de l'après-midi.
- Ne le contraignez pas à se coucher et ne le laissez pas pleurer seul dans sa chambre. Pourquoi l'obliger à dormir s'il n'est pas fatigué ? Votre enfant ne doit en aucun cas faire un rejet de son lit, susceptible de perturber son sommeil la nuit.
- Notez les heures auxquelles vous le couchez et le levez afin d'identifier ses besoins. Respectez son rythme.

Mon enfant dort systématiquement à l'heure du déjeuner. Que faire ?

Le fait que votre enfant s'endorme systématiquement à l'heure du déjeuner engendre bien évidemment des problèmes logistiques. Deux options s'offrent à vous :

1) Donnez-lui une collation substantielle en fin de matinée et faites-le déjeuner lorsqu'il se réveille.
2) Faites-le déjeuner de bonne heure et proposez-lui un goûter consistant qui lui permettra de tenir jusqu'au dîner.

Comme les adultes, les enfants dorment mal après un repas trop riche. Un bébé de 12 mois boit environ 560 ml de lait – maternel ou maternisé – par jour principalement répartis entre la tétée du matin et la tétée du soir avec éventuellement du lait mélangé à des céréales ou autres aliments au cours des différents repas. Si votre enfant a l'habitude de prendre le sein ou de boire un biberon après le déjeuner, donnez-lui la tétée soit avant de le coucher soit lorsqu'il se réveille de la sieste.

Mon bébé refuse de faire une sieste l'après-midi et s'endort systématiquement à l'heure du dîner. Que faire ?

- Retardez progressivement l'heure de la sieste du matin jusqu'à ce qu'il fasse une grande sieste en tout début d'après-midi.
- Ne l'obligez pas à se coucher s'il n'est pas fatigué. Plus il grandit, moins il a besoin de dormir.

- Notez les heures auxquelles vous le couchez et les heures auxquelles il se réveille afin d'avoir une idée approximative de ses besoins physiologiques et les respecter autant que faire se peut.
- Donnez-lui un goûter riche en glucides afin d'augmenter le taux de sucre dans le sang (glycémie).
- Si malgré tous vos efforts, il ne peut s'empêcher de faire la sieste en fin d'après-midi, ne le laissez pas dormir plus de 20 minutes.

Il n'y a pas de règle quant au temps qui doit s'écouler entre le moment où votre enfant se réveille de la sieste et l'heure à laquelle vous le couchez le soir. Comptez trois ou quatre heures mais, une fois encore, ce n'est pas parce que votre enfant dort plus ou moins qu'il y a un problème. Personne ne connaît mieux votre enfant que vous. Observez-le et couchez-le dès que vous sentez qu'il a besoin de se reposer.

Tétines, sucettes : pour ou contre ?

Cette partie aurait parfaitement eu droit de cité dans les chapitres précédents. En effet, n'importe quel enfant âgé de 3 mois à 5 ans, voire plus, peut, d'un jour à l'autre, devenir dépendant de sa tétine.

Les totottes ont toujours été au centre d'un débat très controversé. Quelle que soit votre conviction, il ne fait aucun doute que, dans certaines circonstances, les tétines présentent nombre d'avantages.

Cinq bonnes raisons de donner une tétine à votre enfant

- Apaiser les symptômes liés aux coliques et aux reflux gastro-œsophagiens.
- Remplacer les tétées superflues chez les enfants ayant un instinct de succion très développé.
- Calmer les douleurs dues aux poussées dentaires.
- Aider les enfants nés prématurément et nourris artificiellement au cours des jours ou des semaines suivant la naissance à leur faire accepter la tétine du biberon ou le sein.
- La succion calme un enfant agité et favorise le sommeil.

Si la tétine solutionne nombre de problèmes chez les tout-petits, il ne doit s'agir que d'une solution à court terme. En effet, une utilisation prolongée peut au fil du temps se retourner contre vous et générer des problèmes dont vous vous passeriez bien. N'avez-vous jamais vu des parents courir dans tous les sens à la recherche de la tototte que leur enfant réclame à cor et à cri et sans laquelle il ne peut s'endormir ?

Par ailleurs, le seul fait de perdre sa tétine durant son sommeil peut expliquer qu'un enfant se réveille tout d'un coup en hurlant. Tous les parents dont les enfants dorment avec une tototte avouent se lever plusieurs fois la nuit pour la leur remettre dans la bouche.

Jusqu'à environ 2 ans, les poussées dentaires et les rhumes à répétition font que les enfants ont souvent le nez bouché. En effet, les voies nasales des petits sont très étroites et s'obstruent rapidement. Ayant des difficultés à respirer par le nez, notamment lorsqu'ils sont allongés sur le dos, ils sont obligés de respirer par la bouche ce qui suppose qu'ils n'aient pas de tétine. Vous vous doutez des conséquences chez un bambin qui a pris l'habitude de s'endormir avec sa tototte.

Si votre fils ou votre fille vous réveille la nuit à chaque fois qu'il ou elle perd sa sucette, deux solutions s'offrent à vous :

- essayer de lui faire perdre l'habitude de dormir avec sa tototte ;
- lui apprendre à la chercher et à la remettre seul(e) dans sa bouche.

Étude de cas

Alice, 14 mois, ne peut dormir sans sa tétine la nuit

Alice, née deux mois avant le terme, est une petite fille tonique qui grandit, grossit et évolue sans problème.

Dans les semaines qui ont suivi sa naissance, Claudie et Manuel ont donné une tétine à Alice qui souffrait de reflux gastro-œsophagiens.

Comme tous les parents, ils sont prêts à tout pour le bien-être de leur petite fille. Lorsque j'ai rencontré Claudie, elle était enceinte de son second bébé. S'occuper d'Alice et assumer cette nouvelle grossesse l'épuisait.

Le problème

Depuis sa naissance, du moment qu'elle a sa tétine et son doudou, Alice s'endort le soir sans problème.

Mais, invariablement, quelques minutes après que ses parents l'ont couchée, Alice se réveille en pleurant car elle a perdu sa tétine. Le même scénario peut se reproduire jusqu'à quatre fois au cours de la nuit. Claudie et Manuel se sont rapidement trouvés confrontés à un dilemme : doivent-ils priver Alice de tétine ou continuer à se lever à tour de rôle au risque de devenir rapidement exténués ? Alice est née deux mois avant la date prévue. Ses parents ont donc vécu des moments difficiles et, pour rien au monde, ils ne veulent imposer à leur fille une épreuve difficile et traumatisante.

Les faits sont là : Alice ne peut se passer de sa tétine pour dormir et il suffit qu'elle ait le nez bouché lors d'un rhume ou d'une poussée dentaire pour que ses nuits deviennent très agitées. Obligée de respirer par la bouche, elle pleure dès que sa tétine tombe. Ses parents ont bien essayé de la laisser pleurer sans intervenir, mais Alice n'arrive pas à se rendormir. Elle s'est habituée à ce que ses parents viennent lui redonner sa tétine la nuit et lui fassent un câlin et elle ne semble pas vouloir se priver de ces moments privilégiés.

La solution

Pour qu'Alice dorme paisiblement la nuit, il faut impérativement qu'elle apprenne :

- à se passer de sa tétine ;
- à rester dans son lit et à se passer des câlins et autres contacts physiques avec ses parents.

Le plan d'action

Conseils donnés aux parents d'Alice

- Respectez le rituel du soir afin que les différents éléments (bain, histoire, chanson) deviennent progressivement autant de facteurs déclencheurs de sommeil.
- Utilisez toujours les mêmes expressions et racontez toujours la même histoire.
- Peu à peu, ces différentes phases auront le même effet apaisant sur votre fille que la tétine.
- Couchez Alice avec son doudou mais sans sa tétine.
- Il est impératif que votre petite fille n'ait pas sa tétine au début de la nuit. Si elle se réveille et vous appelle afin que vous la lui donniez, réconfortez-la mais surtout ne cédez pas. Faites de même durant toute la journée du lendemain.

- Pour minimiser le stress qui peut monter en elle que l'un de vous reste auprès d'elle le premier soir afin de la sécuriser.
- Au bout de deux nuits, Alice devrait être capable de s'endormir sans tétine.
- La troisième nuit, couchez Alice puis quittez immédiatement sa chambre.
- Si Alice pleure, restez calmes et surtout tenez bon. Si l'un de vous veut céder, que l'autre l'en empêche.
- Attendez-vous à ce qu'Alice se réveille plusieurs fois au cours la nuit. Réconfortez-la et, si besoin, restez auprès d'elle jusqu'à ce qu'elle se rendorme. Surtout ne la prenez pas avec vous dans votre lit.
- Alice n'est pas contente ce qui est parfaitement normal. Elle n'accepte pas que le rituel change et le fait que vous restiez près d'elle et la souteniez ne peut que l'aider à surmonter cette épreuve.
- Si la troisième nuit Alice se réveille et pleure, allez la voir. Rassurez-la mais sortez le plus vite possible de sa chambre.
- Peu à peu, votre fille acceptera de se passer de sa tétine et de votre présence et bientôt elle fera des nuits complètes.

Le résultat

Le premier soir, Alice s'est endormie 50 minutes après que ses parents l'aient couchée. Comme prévu, elle a pleuré, hurlé, s'est levée dans son lit et a tapé contre les barreaux. Bien que perturbés par l'attitude de leur fille, Claudie et Manuel ont gardé leur calme et n'ont pas cédé. Alice a fini par s'endormir et elle ne s'est réveillé qu'à 3 h du matin. Elle n'avait jamais dormi sept heures d'affilée depuis sa naissance ! Alice a pleuré pendant plus d'une heure mais elle ne s'est pas mise en colère. Épuisée, elle s'est endormie et ne s'est réveillée qu'à 7 h 30.

La deuxième nuit, Alice s'est endormie au bout de 20 minutes. Ses parents sont allés la voir à tour de rôle afin qu'elle comprenne que ni l'un ni l'autre ne l'avaient abandonnée. À 5 h, elle s'est mise à pleurer. Claudie et Manuel l'ont réconfortée puis ils sont sortis de la chambre. Quelques minutes plus tard, Alice dormait profondément.

Depuis, hormis lorsqu'elle est malade, Alice dort paisiblement toutes les nuits.

Conclusion

Claudie et Manuel ont eu raison de donner une tétine à Alice à une période où la petite fille souffrait de reflux gastro-œsophagiens. Mais une fois ce problème réglé, il est devenu évident que la tétine perturbait le sommeil d'Alice qui se réveillait à chaque fois qu'elle ne l'avait plus dans la bouche. Grâce au soutien de ses parents, elle a réussi à se passer de sa tototte et à dormir paisiblement la nuit.

Comment aider les enfants à gérer leur tétine seuls la nuit

- Après le bain du soir, faites la « course à la tétine ». Lancez à votre enfant le défi d'attraper sa tétine avant vous et de la mettre tout seul dans la bouche.
- Mettez plusieurs tétines dans son lit afin qu'il en ait toujours une sous la main si celle qu'il a dans la bouche tombe.
- Si votre enfant vous appelle la nuit car il a perdu sa tétine, donnez-la lui dans la main mais ne la lui mettez pas dans la bouche.

Vous avez certainement d'excellentes raisons de vouloir que votre fils ou votre fille garde sa tétine la nuit. Mais si vous ne voulez pas être réveillés, apprenez-lui à gérer tout seul sa tototte.

Lucas est né avec une malformation du pied et, tout petit, il a subi plusieurs interventions chirurgicales. Mon mari et moi avons noté qu'avoir sa tétine dans la bouche réconfortait notre fils et nous avons décidé de la lui laisser tant qu'il en manifesterait le besoin. Nous lui avons appris à retrouver sa tétine lorsqu'il la perdait la nuit et, honnêtement, il ne nous réveille jamais.

Si votre bébé ne peut pas dormir sans sa tétine, l'en priver risque d'être une expérience traumatisante. Vous devez, cependant, garder à l'esprit que, s'il est normal qu'un enfant manifeste son désaccord dès lors que vous changez l'une de ses habitudes, il a tôt fait de s'adapter.

S'il n'y a aucune raison pour que votre enfant dorme avec une tétine, mieux vaut la lui retirer. En effet, nombre d'études prouvent que les bienfaits pour un enfant de ne pas avoir de tétine sont nettement supérieurs aux bienfaits apportés par une tototte.

Cinq bonnes raisons de ne plus donner de tétine à votre enfant

- Le fait de sucer une tétine augmenterait le risque d'avoir une otite.
- Les enfants qui, durant la journée, ont une tétine dans la bouche auraient souvent un retard de langage.

- La tétine favoriserait les maux d'estomac et autres troubles liés à la digestion.
- La tétine – tout comme le pouce – serait à l'origine de nombreux problèmes orthodontiques.
- Un enfant qui ne peut se passer de sa tototte ne se repose pas bien la nuit car il a tendance à se réveiller dès qu'il la perd.

Si vous décidez de donner une tétine à votre enfant, certaines consignes sont à respecter (voir encadré ci-dessous).

Sécurité et hygiène

- Attention aux caries ! Ne trempez pas la tétine dans une solution sucrée.
- Privilégiez les tétines orthodontiques qui poussent moins les dents du haut en avant que les tétines classiques.
- Lavez soigneusement la tétine et veillez à ce qu'elle ne soit pas abîmée.
- Ne fixez jamais la tétine de votre enfant – colle, ruban adhésif ou pansement – afin qu'elle ne tombe plus de la bouche de votre enfant.
- Évitez de laisser une tétine à votre enfant durant la journée, ce qui pourrait entraîner un retard de langage.
- Chez les tout-petits, la tétine ne doit en aucun cas se substituer au sein ou au biberon à l'heure de la tétée.

Les enfants qui se réveillent plusieurs fois la nuit

Vous avez mis en place un rituel du soir que vous respectez scrupuleusement. Votre enfant fait la sieste, s'endort seul le soir et pourtant il se réveille toujours plusieurs fois la nuit. Qu'est-ce qui ne va pas ?

Entre 1 et 2 ans, les enfants se réveillent soit parce qu'ils sont malades soit parce qu'ils sont dans une mauvaise position. Si votre enfant vous appelle plusieurs fois toutes les nuits, il y a fort à parier que ce soit par habitude. Si le fait de se réveiller permet à votre chérubin d'avoir des câlins ou de finir sa nuit dans le lit parental, il aura d'autant plus de mal à changer de comportement.

Ce qui explique qu'un enfant se réveille par habitude plusieurs fois au cours de la nuit :

- Ses parents le prennent dans leur lit.
- Son père ou sa mère finissent systématiquement leur nuit dans son lit ou sur le sol dans sa chambre.
- Ses parents le nourrissent alors qu'il pourrait fort bien se passer de téter.
- Ses parents le lèvent lorsqu'il en manifeste l'envie et lui permettent de jouer ou de regarder un DVD.

Conseils d'amie

Demandez-vous quelles raisons poussent votre enfant à se réveiller la nuit.

L'une ou l'autre des situations énoncées ci-dessus vous est peut-être familière. Il suffit qu'une situation se reproduise plusieurs nuits de suite pour qu'elle soit assimilée par votre enfant à un rituel. Or comme nous l'avons vu précédemment, les enfants adorent les rituels. Vous avez probablement remarqué que votre bambin est prêt à tout notamment à ne pas dormir alors qu'il ne tient plus debout pour qu'un rituel soit respecté du début à la fin.

Étude de cas

Augustin, 17 mois, s'endort sans problème, mais se réveille toutes les nuits

Augustin est le fils de Béatrice et de Philippe. Il est en parfaite santé, mange bien et évolue sans problème. Il a marché tôt et il commence à parler. Lorsque ses parents travaillent, Augustin est gardé par sa grand-mère qu'il adore.

Le problème

Augustin a toujours été un grand dormeur. Il y a quelques semaines, il a eu une otite. Les douleurs étaient telles que ses parents l'ont fait dormir plusieurs nuits d'affilée dans leur lit. Aujourd'hui, Augustin est guéri, mais ses nuits restent agitées. Invariablement, il se réveille et attend que ses parents le fassent dormir avec eux.

Béatrice et Philippe ont bien essayé de ne pas céder, mais les pleurs se sont rapidement transformés en hurlements et ni l'une ni l'autre n'ont eu le courage de laisser leur fils seul dans sa chambre. Dès que son père ou sa mère le lèvent, Augustin sourit et dès qu'il est dans leur lit, il s'endort.

Si pour le petit garçon tout va bien, ses parents ont du mal à dormir. En effet, leur fils prend toute la place, il leur donne des coups de pied et repousse systématiquement la couette.

La solution

Pour qu'Augustin ne se réveille plus la nuit, ses parents ne doivent plus le prendre avec eux dans leur lit. Savoir que tout n'était pas perdu mais pouvait redevenir comme avant les a considérablement rassurés.

Le plan d'action

Conseils donnés aux parents d'Augustin

- Respectez scrupuleusement le rituel du soir.
- Mettez Augustin au lit à l'heure habituelle et vous-mêmes ne vous couchez pas trop tard. Soyez prêts mentalement à devoir vous lever plusieurs fois la nuit et à veiller jusqu'à ce que votre fils se rendorme.
- Lorsque Augustin se réveille, que l'un de vous deux aille immédiatement auprès de lui et suive le plan d'action ci-dessous.

Les 1re et 2e nuits

- Asseyez-vous près du lit d'Augustin, mais n'engagez pas la conversation et ne vous lancez pas dans un grand discours. Contentez-vous de répéter les mêmes mots ou la même phrase afin de véhiculer un seul et unique message, par exemple « Augustin, il faut dormir maintenant ».
- Attendez-vous à ce que votre fils manifeste son désaccord et son mécontentement mais dites-vous que, s'il pleure, c'est parce que vous ne faites pas ce qu'il désire. Il n'a pas peur et ne se sent pas abandonné dans la mesure où vous êtes assis(e) près de lui. Il est tout simplement frustré.
- Augustin va finir par s'endormir même si cela doit prendre une heure ou plus. Inutile de vous fixer une limite. Restez près de lui aussi longtemps que nécessaire. En effet, le laisser seul alors qu'il ne dort pas risque d'aggraver la situation.

La 3e nuit

- Procédez comme les deux nuits précédentes mais ne restez pas près du lit d'Augustin. Lorsque votre fils a retrouvé son calme, ne le regardez plus et évitez tout contact physique. Si vous le jugez nécessaire, restez dans la chambre jusqu'à ce qu'il dorme. L'idée d'installer un lit pour passer la nuit auprès de votre fils vous traversera peut-être l'esprit. N'en faites rien. En agissant ainsi, vous ne ferez que mettre en place un autre rituel tout aussi néfaste pour Augustin.

La 4e nuit et les suivantes

- Augustin a probablement compris que les nuits dans le lit de papa et maman étaient bel et bien finies et il commence à considérer son propre lit comme un endroit où il peut dormir sans crainte.
- Suivez le rituel du soir, couchez Augustin mais quittez sa chambre avant qu'il s'endorme. S'il se réveille, attendez cinq minutes pour voir s'il se rendort. S'il ne hurle pas vraiment mais pleurniche, attendez un peu plus longtemps. Il lui faudra peut-être une heure voire plus avant de dormir à nouveau paisiblement. L'essentiel, c'est qu'il soit bien installé et ne soit pas malade.
- Si les pleurs d'Augustin se transforment en hurlements, rassurez-le mais ne vous attardez pas dans sa chambre quitte à revenir cinq minutes plus tard. Il ne s'attend plus à ce que vous l'emmeniez dormir avec vous et il finira par se calmer.
- S'il est réveillé mais ne pleure pas, n'allez pas le voir. À un moment ou un autre – même si cela vous semble long – il se rendormira.
- S'il se réveille avant 7h, laissez-le dans son lit. Après 7h, ouvrez les volets, faites-lui un câlin et dites-lui qu'il peut se lever.
- Rien ne vous empêche de le prendre avec vous dans votre lit à condition qu'il ne se rendorme pas. Augustin ne doit en aucune façon se sentir rejeté ou mal aimé et un câlin entre papa et maman est la meilleure manière de lui prouver le contraire.

Le résultat

Il a suffit de quatre nuits pour qu'Augustin retrouve un sommeil paisible. Ce qui a facilité les choses, c'est qu'il n'avait pas besoin de ses parents pour s'endormir le soir. Lorsque ceux-ci ont décidé de ne plus le prendre dans leur lit au beau milieu de la nuit, il a été capable de retrouver son sommeil tout seul.

La conclusion

Il est fréquent qu'après une maladie ou un quelconque changement, les bébés, qui jusqu'alors n'avaient jamais eu de problèmes pour dormir, se réveillent plusieurs fois au cours la nuit. La première chose à faire est d'identifier la raison qui pousse l'enfant à se réveiller, la seconde d'agir en conséquence.

Les enfants qui se réveillent à l'aube

La majorité des bébés sont des lève-tôt. Être debout à l'aube est le lot de pratiquement tous les jeunes parents qui n'ont d'autres choix que de l'accepter.

Le réveil très matinal est un problème extrêmement difficile à gérer. En effet, les enfants sont généralement couchés de bonne heure et, dans la mesure où ils ont dormi plusieurs heures d'affilée (même si ce n'est pas suffisant), ils ont du mal à se rendormir. Cette habitude se vérifie tout particulièrement chez les enfants de 1 à 2 ans qui ne veulent en aucun cas se priver des plaisirs que leur réserve la journée.

Repousser l'heure du coucher ne sert généralement à rien. Ce n'est pas parce qu'un enfant se couche tard qu'il se lèvera tard. En effet, il est en quelque sorte « programmé » pour se réveiller à une heure fixe en fonction d'un certain nombre de déclencheurs d'éveil internes et externes.

Les parents ne sont pas tous unanimes quant à l'heure à laquelle un enfant devrait idéalement se réveiller même si la tranche horaire comprise entre 6 h et 8 h semble être la plus acceptable.

Quand se réveiller tôt devient un problème

- Votre enfant se réveille systématiquement avant 6 h, pleure et ne semble pas reposé.
- Votre enfant respecte toujours le même rituel : il se réveille à l'aube, boit son lait et attend que vous le preniez avec vous dans votre lit pour se rendormir.
- Votre enfant est fatigué et grognon dès qu'il met le pied par terre et il a besoin de faire une grande sieste vers 9 h.

L'une ou l'autre des situations décrites ci-dessus correspond à ce que vous vivez au quotidien ? Oui. Alors, il est temps de mettre en place une stratégie afin que votre enfant dorme plus longtemps le matin. Avant toute chose, identifiez les besoins physiologiques de votre fils ou de votre fille. Imaginons que non seulement votre enfant demande à se lever aux aurores mais qu'en plus il se réveille plusieurs fois la nuit. Il est indispensable que vous lui appreniez à passer des nuits paisibles avant de vous attaquer au problème du lever.

Supposons maintenant que votre enfant ait du mal à s'endormir le soir et se réveille à l'aube. Apprenez-lui à trouver son sommeil tout seul avant de vous préoccuper de l'heure du lever. Lorsque votre fils ou votre fille vous appelle à 5 h du matin, faites en sorte qu'il/elle comprenne qu'il est encore trop tôt pour se lever et aidez-le/la à se rendormir.

Étude de cas

Tristan, 20 mois, se réveille tous les matins à 5h

Tristan est le fils de Nathalie et de Michel. Nathalie est mère au foyer. Michel travaille douze heures par jour, six jours sur sept. Nathalie doit accoucher dans quelques semaines de son second bébé. Tristan a sa propre chambre.

Le problème

Tristan a toujours eu du mal à s'endormir le soir. À tour de rôle, ses parents restent auprès de lui jusqu'à ce qu'il s'endorme mais, une fois qu'il est dans les bras de Morphée, il dort profondément et ne se réveille jamais avant 7h. Depuis quelque temps, Tristan se réveille à 5 h 30 en pleurant. Bien qu'il n'ait pas son compte de sommeil, il ne se rendort jamais. Ses parents ont pourtant tout essayé – tétée, câlin dans leur lit, vidéo – en vain.

Vers 8 h, Tristan est si fatigué que Nathalie est obligée de le coucher. Après une sieste d'environ deux heures, son fils est en pleine forme. Ce n'est que vers 16 h qu'il montre à nouveau des signes de fatigue. Conclusion, soit il s'endort et alors plus question de le coucher à l'heure habituelle le soir, soit Nathalie le tient éveillé et invariablement il pique du nez sur son dernier biberon.

La solution

Pour que Tristan dorme plus longtemps le matin, ses parents doivent :

- L'aider afin qu'il s'endorme plus facilement le soir et qu'il soit capable de se rendormir lorsqu'il se réveille à 5 h 30.
- Décaler l'heure de la sieste, afin qu'il ne soit ni trop fatigué ni pas assez pour dormir le soir.

Le plan d'action

Conseils donnés aux parents de Tristan

- Écourtez la sieste du matin afin qu'elle ne dépasse pas une heure. Couchez Tristan après le déjeuner. S'il a besoin de dormir deux heures, laissez-le, l'essentiel étant qu'il ne s'écroule plus au milieu de l'après-midi ou sur son biberon du soir.
- Au fil du temps, écourtez de plus en plus la sieste du matin jusqu'à ce qu'elle ne soit plus nécessaire, l'objectif étant que Tristan ne fasse plus qu'une grande sieste après le déjeuner.
- Respectez le rituel que vous avez mis en place le soir, mais veillez à ce que votre fils ne s'endorme pas en tétant.
- Avant de coucher votre fils, feuilletez avec lui un livre d'images. Utilisez toujours le même livre qui, peu à peu, deviendra un facteur déclencheur de sommeil.
- Fermez les volets et couchez Tristan avant qu'il s'endorme. Il doit avoir conscience que vous le mettez dans son lit afin de ne pas être déstabilisé et se sentir perdu s'il se réveille en pleine nuit.
- Asseyez-vous quelques instants près du lit puis, sans faire de bruit, mettez de l'ordre dans sa chambre. Si besoin est, retournez près de votre fils.
- Sortez de la pièce puis revenez au bout de quelques minutes. Si Tristan pleure, rassurez-le mais ne le prenez pas dans vos bras. Restez calme et détendu.
- Il est important que vous ne soyez pas dans la chambre lorsque Tristan s'endort.
- Si votre fils se réveille avant 7h, ne le levez pas. Ne cédez ni à ses pleurs ni à ses hurlements. Tristan doit apprendre à se rendormir. Soyez fermes mais ne vous mettez pas en colère. Ne lui donnez pas de lait même si vous savez que boire un biberon l'aide à s'endormir.
- Les enfants qui se réveillent très tôt ont toujours beaucoup de mal à retrouver le sommeil. Armez-vous de patience.
- Si à 7h, Tristan ne s'est toujours pas endormi, ouvrez les volets et dites-lui qu'il peut se lever.
- Si, par bonheur, il s'est rendormi attendez qu'il se réveille de lui-même. Ouvrez les volets, dites-lui bonjour et levez-le.
- Lorsque Tristan sera capable de s'endormir seul le soir et aura compris que, malgré ses pleurs et ses cris, ses parents ne le lèveront pas, il y a fort à parier qu'il dorme paisiblement jusqu'à une heure raisonnable.
- Changer l'heure de la sieste ne peut qu'avoir un effet positif.

Le résultat

Le premier soir, Tristan a exprimé sa frustration de ne pas voir sa mère rester auprès de lui jusqu'à ce qu'il s'endorme. Le deuxième soir, il a moins pleuré et le troisième tout s'est bien passé. Il a fallu environ une semaine pour qu'il ne demande plus à se lever à l'aube. En général, Tristan s'endort à 19 h 30 et se réveille à 7 h puis il fait une sieste d'une heure et demie ou deux heures après le déjeuner.

Conclusion

Nathalie et Michel ont été surpris de s'entendre dire qu'ils devaient régler le problème de l'endormissement avant le problème du lever. Ils ont suivi à la lettre le plan d'action et ont été ravis d'obtenir aussi rapidement des résultats.

Mon enfant se réveille fatigué aux premières heures du jour

Votre enfant se réveille tôt, pleure et se frotte les yeux. Manifestement il n'a pas eu son compte de sommeil. Ne le laissez pas pleurer seul trop longtemps. En effet, commencer sa journée dans de telles conditions n'est pas l'idéal – ni pour lui ni pour vous. Allez le voir et expliquez-lui qu'il est trop tôt pour se lever. À tour de rôle, restez à ses côtés puis, lorsqu'il a retrouvé son calme, sortez de la pièce, quitte à revenir plus tard. Ne le levez pas avant une heure raisonnable.

Lorsque vous estimez que la journée peut commencer, ouvrez les volets (même s'il fait encore nuit dehors) avant de le lever. Le simple fait d'ouvrir les volets sera le signal d'une nouvelle journée qui débute. Au contraire, fermer les volets sera le signal qu'il faut dormir. Pour donner plus de poids à ce message, fermez les volets avant de mettre votre enfant au lit. Tous les repères visuels et tous les rituels sont lourds de sens pour les enfants qui n'ont pas encore la notion du temps.

Mon enfant commence à escalader son lit

Vers 2 ans, les enfants les plus actifs et les plus téméraires ont tendance à escalader leur lit en se réveillant le matin, ce qui est fort dangereux.

Baissez le sommier du lit de votre enfant dès qu'il manifeste l'envie de se lever tout seul. Mais attention ! Les enfants les plus astucieux n'hésitent pas à prendre appui sur leurs jouets ou sur le tour de lit pour gagner quelques centimètres.

Si votre enfant fait partie des casse-cou, n'hésitez pas à le changer de lit et à installer une barrière de sécurité à la porte de sa chambre ou en haut de l'escalier. Collez de préférence son lit contre un mur et mettez de l'autre côté un tapis moelleux pour amortir toute chute éventuelle.

Le saviez-vous ?

Votre enfant ne fait pas exprès de ne pas bien dormir. Aidez-le à avoir un sommeil paisible et réparateur. Pour ce faire, identifiez la raison pour laquelle il a du mal à s'endormir ou pour laquelle il se réveille. Tout changement doit être progressif et non traumatisant.

Famille et garde d'enfant

Dans ce chapitre,
vous apprendrez à :

- gérer les différents besoins en terme de sommeil des frères et sœurs y compris des jumeaux et des triplés.
- ne plus douter de ses compétences et savoir répondre aux besoins d'un enfant adopté.
- confier son enfant à la garde d'un tiers sans que son sommeil en pâtisse.

Élever plusieurs enfants est à la fois un privilège et l'un des plus grands défis que vous aurez à relever. Pas étonnant que, face à une tâche aussi importante, intimidante et *épuisante*, vous vous demandiez parfois si vous êtes à la hauteur.

Lorsque nos enfants sont petits, nous nous inquiétons de savoir s'ils mangent suffisamment, s'ils se développent comme il se doit et surtout s'ils dorment bien. En effet, nous espérons tous que nos enfants n'auront aucun problème de sommeil et ce pour le bien-être et la santé de toute la famille.

Des enfants bien reposés sont jovials, paisibles et réceptifs aux différents apprentissages. De leur côté, des parents bien reposés arrivent à mener de front leur vie familiale, leurs activités professionnelles et leurs relations sociales.

La fratrie

Le soir, s'occuper de plusieurs enfants en même temps pose nombre de problèmes logistiques. Aider l'aîné à faire ses devoirs, raconter une histoire, faire un câlin ou tout simplement discuter avec le deuxième alors que le troisième attend d'être changé et réclame la tétée demande une grande organisation. Bien évidemment, l'idéal serait que chaque enfant ait sa propre chambre et que votre conjoint soit rentré du travail pour vous donner un coup de main à « l'heure de pointe ». Malheureusement, nous savons tous que ce n'est pas toujours possible et que même la plus résistante des mères peut, à un moment ou un autre, se sentir débordée. En fin de journée, alors que parents et enfants sont fatigués, que les réserves d'énergie sont épuisées et que l'humour vient à manquer, l'heure du coucher devient souvent le moment que tous redoutent.

Il n'y a pas de mots assez forts pour exprimer l'amour que j'éprouve pour mes deux enfants mais je dois avouer que tout n'a pas toujours été rose. Lorsqu'ils étaient petits, j'appréhendais l'heure du coucher. Je tenais à ce que mes enfants soient au lit à 19 h 30 afin de pouvoir enfin respirer. Conclusion, je me dépêchais le plus possible, j'étais stressée et obnubilée par la pendule. En y repensant, je me dis que tous deux ont très certainement ressenti mon angoisse et qu'ils ont souvent dû avoir l'impression que je les couchais pour me débarrasser d'eux. Avec le recul, je regrette de ne pas avoir compris que la fin de la journée pouvait être un moment privilégié et détendu pour mes enfants mais aussi pour moi.

Bien sûr, trouver l'énergie pour mettre en place un rituel répondant aux besoins de plusieurs bambins est en soi un véritable défi. Cependant, ce petit plus peut changer la vie de la famille.

Dans un premier temps, réfléchissez à la manière dont vous aimeriez que se déroule le rituel du coucher puis prenez les mesures adéquates afin de le mettre en place.

Plusieurs enfants étant concernés, le rituel doit être gérable pour tous et, en même temps, répondre aux besoins de chacun. Pour vous simplifier la vie, sachez que baigner un enfant de 6 mois – voire moins – en même temps que ses frère(s) et sœur(s) ne pose *a priori* aucun problème.

Imaginons que vous ayez un fils de 2 ans et une fille de 5 mois. Pendant que votre aîné joue dans le bain, déshabillez sa sœur puis faites-lui faire « trempette » avec son frère. Une fois lavée, sortez-la du bain et installez-la sur la table à langer ou sur le matelas à langer posé à même le sol, à proximité de la baignoire. En effet, tant que votre fils est dans son bain, vous ne devez sous aucun prétexte quitter la pièce ne serait-ce que quelques secondes. Pendant que vous essuyez votre bébé, que vous lui mettez une couche et son pyjama, vous avez tout le loisir de discuter avec son frère.

Une fois votre aîné sorti du bain, allez soit dans la chambre des enfants, soit dans votre chambre ou, si vos enfants ont chacun leur chambre, dans celle de votre fils. Installez-vous confortablement et, tout en donnant la tétée à votre bébé, racontez une histoire à son frère. Avant que votre petite fille s'endorme, dites à votre fils de lui souhaiter une bonne nuit puis couchez-la dans son lit. Si elle a sa propre chambre, demandez à votre fils de se coucher et d'attendre tranquillement que vous reveniez lui faire un bisou et un câlin.

En vous référant aux conseils donnés dans les chapitres précédents, respectez le rituel du coucher correspondant aux besoins d'un bébé puis retournez voir votre aîné. Ne vous éternisez pas mais profitez de ce moment d'intimité.

Il est primordial que le père et la mère se retrouvent à tour de rôle seul(e) à seul(e) avec leur aîné. Si le temps vous manque, sachez que – comme souvent – c'est la qualité et non la quantité qui prime. Un enfant de 2 ans peut avoir du mal à accepter de ne plus être du jour au lendemain le centre de l'univers et souffrir du fait que vous ne lui consacriez plus 100 % de votre temps. Pour prévenir les angoisses sous-jacentes à l'arrivée de sa petite sœur, il est primordial qu'il soit rassuré avant de s'endormir et qu'il n'ait pas l'impression de devoir vous partager. Profitez de ce moment en fin de journée pour renforcer les liens qui se tissent au fil des jours entre vous deux. Se souhaiter rapidement une bonne nuit ou se quitter en mauvais termes peut être lourd de conséquences. En effet, si votre enfant a le sentiment d'être délaissé, il essaiera par tous les moyens d'attirer votre attention.

Certains prétendent qu'il vaut mieux que les enfants partagent la même chambre alors que d'autres affirment le contraire. À mon avis, les deux solutions présentent des avantages et des inconvénients.

Le fait de dormir dans la même chambre sécurise souvent les enfants. Plus sereins, ils s'endorment plus facilement. Par ailleurs, plus les enfants grandissent, plus ils deviennent proches et complices. Au fil du temps, ils apprennent également à partager un espace commun, à respecter l'intimité de l'autre et à garder un secret.

Vous n'avez aucune raison de vous inquiéter ou de culpabiliser si vous n'avez d'autre choix que de faire dormir vos enfants dans la même chambre. Du fait de cette expérience, ils seront mieux préparés à la vie en communauté et entrer à la crèche et/ou à l'école leur posera moins de problèmes.

Comme nous l'avons vu précédemment, chaque solution présente des avantages mais également des inconvénients. Si l'un de vos enfants n'est pas un gros dormeur et un lève-tôt, il risque de réveiller son frère ou sa sœur la nuit ou de le faire tomber du lit aux aurores. C'est ce qui se passe souvent avec des jumeaux ou lorsque l'un des enfants est malade. Par ailleurs, après le bain les enfants risquent de courir dans la chambre , sauter sur les lits, s'énerver, se quereller et avoir ensuite du mal à trouver leur sommeil. Avec le temps, attendez-vous à ce que des conflits éclatent à propos d'espace volé ou de trésors chapardés.

Étude de cas

Comment aider Nicolas, 26 mois, et Sophie, 12 mois à bien dormir la nuit tout en partageant la même chambre

Nicolas et Sophie sont les enfants de Liane et de Michaël. Après avoir vécu plusieurs années à l'étranger, le couple vient de s'installer avec les enfants dans un quatre-pièces au cœur de Paris. Sophie dort dans la chambre de ses parents alors que Nicolas a une grande chambre pour lui tout seul, la troisième étant réservée aux visiteurs notamment aux grands-parents qui viennent régulièrement passer quelques jours.

Nicolas et Sophie grandissent et évoluent sans le moindre souci. Si on en croit Liane et Michaël, tout se passe merveilleusement dans la journée mais les choses se gâtent à l'heure du coucher.

Le problème

1) Nicolas ne peut s'endormir sans sa mère à ses côtés. Systématiquement, quelques heures après s'être endormi, il se réveille et appelle Liane, qui doit s'asseoir ou s'allonger à côté de lui. La situation se reproduit plusieurs fois au cours de la nuit et, exténuée, Liane finit toujours par emmener son fils dans le lit parental.
2) Sophie s'endort uniquement si elle est au sein. Elle se réveille plusieurs fois au cours de la nuit et, bien évidemment, elle ne peut se rendormir si elle ne tète pas. Comme son frère, elle finit quasiment toutes ses nuits dans le lit de ses parents.
3) En général, c'est Liane qui se lève et la situation commence à lui peser. Elle a pensé installer le lit de Sophie dans la chambre de Nicolas mais elle a peur que son fils réveille sa fille et vice versa. Elle ne voit pas comment elle pourrait assumer deux enfants en larmes en même temps.

La solution

- Nicolas et Sophie doivent apprendre à s'endormir le soir sans que leur mère soit à leurs côtés.
- Le rituel du coucher ne doit pas être source de stress mais au contraire un moment agréable pour tous.
- Nicolas et Sophie doivent apprendre à passer toute la nuit dans leur lit. Il est, en effet, inconcevable qu'ils atterrissent systématiquement dans le lit de leurs parents.
- Partager la même chambre pourrait être bénéfique aux deux enfants.

Le plan d'action

Conseils donnés à la mère de Nicolas et Sophie

- Installez le lit de Sophie dans la chambre de Nicolas. Mettez les deux lits côte à côte avec une chaise entre les deux. Si, la nuit, les enfants se réveillent en même temps, vous pourrez les consoler l'un et l'autre. Ce nouvel aménagement peut, dans un premier temps, déstabiliser les enfants mais, rapidement, ils apprécieront d'être ensemble. De votre côté, vous aurez moins de mal à gérer la situation s'ils partagent la même chambre.

- Expliquez à Nicolas que sa petite sœur va désormais dormir dans sa chambre. Déménagez le lit de Sophie en présence des deux enfants et faites-les participer afin qu'ils se sentent concernés, puis organisez un petit jeu, à savoir lequel des deux sera couché le premier ou quelle poupée sera la première à s'endormir.
- Le soir, laissez jouer Nicolas dans la baignoire pendant que vous déshabillez Sophie sur le matelas à langer dans la salle de bains. Mettez-la dans la baignoire avec son frère. Jouez avec eux et chantez la chanson que vous chantez tous les soirs.
- Sortez Sophie du bain, essuyez-la, mettez-lui une couche et son pyjama tout en parlant avec Nicolas, puis donnez-lui un jouet afin qu'elle s'amuse à vos côtés pendant que vous sortez son frère du bain.
- Allez directement dans la chambre des enfants. Mettez la couche et le pyjama à Nicolas pendant que Sophie joue auprès de vous. Puis demandez à Nicolas de choisir un livre.
- Installez-vous tous les trois sur le lit de Nicolas. Mettez Sophie au sein et racontez l'histoire choisie. Après la tétée – veillez à ce que Sophie ne s'endorme pas en tétant –, dites à Nicolas de faire un bisou à sa sœur et de lui souhaiter une bonne nuit puis couchez Sophie. Couchez Nicolas et tamisez la lumière. Il est important que les enfants soient dans la pénombre.
- Votre fils et votre fille partageant la même chambre, vous n'avez plus à courir d'une pièce à l'autre s'ils vous appellent.

Les 1re et 2e nuits

- Restez dans la chambre de vos enfants s'ils pleurent ou n'arrivent pas à trouver leur sommeil. Surtout, gardez votre calme. Câlinez Sophie qui a peut-être du mal à accepter de devoir dormir ailleurs que dans la chambre de ses parents. Penchez-vous vers elle, caressez-la mais surtout laissez-la dans son lit. Elle va finir par s'endormir. Même si vous trouvez que la situation est difficile, dites-vous que le fait de s'endormir dans son lit et non plus au sein signifie que votre petite fille a déjà franchi une étape importante. Vous devriez bientôt passer des nuits paisibles.
- Dès que Sophie commence à s'endormir, ne la touchez plus mais restez assise près de son lit.
- Pendant ce temps, dites à Nicolas de rester dans son lit et expliquez-lui que vous essayez d'apprendre à sa petite sœur à s'endormir seule, ce que lui fait déjà puisqu'il est un grand garçon.

- Si Sophie s'endort avant Nicolas, restez près de lui jusqu'à ce qu'il soit détendu et commence à somnoler.
- Restez assise sur la chaise qui se trouve entre les deux lits. Si Nicolas pleure et veut se lever alors que sa sœur dort, soyez ferme et empêchez-le de descendre de son lit.
- Si Sophie se réveille durant la nuit, donnez-lui le sein mais seulement quelques minutes. Recouchez-la avant qu'elle s'endorme. Attendez-vous à ce qu'elle pleure mais ne cédez pas et ne la prenez pas dans votre lit, même si vous craignez qu'elle réveille Nicolas. Asseyez-vous près d'elle et réconfortez-la. Si les pleurs durent, ne baissez pas les bras. Se débarrasser d'une habitude n'est pas facile. La seule manière d'aider Sophie à accepter de dormir dans son lit est d'être ferme mais compréhensive. Si Sophie réveille Nicolas, réconfortez-le mais surtout ne le levez pas.
- Chaque fois que Sophie se réveille, procédez de la même manière. En ne lui permettant plus de s'endormir au sein, vous l'aidez à ne plus faire l'association sommeil-tétée et, en la laissant dans son lit, vous lui montrez qu'elle n'a rien à craindre et peut y dormir en toute quiétude. Rapidement, elle n'espérera plus finir ses nuits dans votre lit.
- Si Nicolas se réveille alors que Sophie dort, allez le voir, réconfortez-le mais interdisez-lui de se lever. Votre fils doit comprendre que c'est dans son lit qu'il doit dormir et non pas avec ses parents.
- Le matin, ouvrez les volets, faites un gros câlin à vos enfants et félicitez-les pour avoir dormi dans la même chambre.
- Après deux ou trois nuits, ils auront pris de nouvelles habitudes et vous pourrez passer à l'étape suivante.

De la 3e à la 7e nuit

- Procédez comme les soirs précédents mais ne vous asseyez plus sur la chaise entre les deux lits. Une fois les enfants couchés, mettez de l'ordre dans la pièce puis sortez, quitte à revenir quelques minutes plus tard.
- Pas de panique si l'un des deux pleure alors que l'autre dort – tant que tous les problèmes ne seront pas résolus, cela se produira. Attendez-vous à faire plusieurs allers et retours. Bientôt cette situation pénible ne sera plus qu'un mauvais souvenir.
- Si Sophie se réveille et veut téter, faites-lui un câlin mais ne lui donnez pas le sein. À son âge, elle n'a plus besoin d'être nourrie la nuit et elle doit absolument perdre cette habitude.
- Le 7e soir, couchez vos enfants, souhaitez-leur une bonne nuit puis sortez de la chambre. Soyez prête à intervenir si besoin

mais, normalement, à ce stade ils devraient s'endormir sans faire une crise. S'ils pleurent, attendez cinq minutes puis allez voir ce qui ne va pas mais surtout ne vous éternisez pas.
- Normalement, Sophie ne réclame plus le sein la nuit et dort jusqu'au matin.

Le résultat

Nicolas et Sophie sont contents de partager la même chambre. Il leur a fallu une semaine pour s'habituer au nouveau rituel mis en place par leur mère. Liane a suivi à la lettre chacune des recommandations et trouve que les soirées sont beaucoup plus gérables pour elle et beaucoup plus agréables et détendues pour tout le monde. Nicolas et Sophie ne se réveillent plus la nuit.

Le matin, Nicolas et Sophie se réveillent de plus en plus tard et, au lieu de pleurer pour rejoindre leurs parents dans leur lit, ils jouent calmement dans leur chambre. Lorsque Liane et Michaël prennent leurs enfants avec eux, c'est pour partager un moment de bonheur et d'intimité qui leur permet à tous de bien commencer la journée.

Conclusion

Pour les parents, il est parfois plus simple que les enfants partagent la même chambre à condition qu'ils aient à peu près le même rythme. Si vos enfants se suivent de peu, le fait qu'ils dorment dans la même pièce peut considérablement vous faciliter la vie.

Les familles monoparentales

Élever seul un ou plusieurs enfants présente certains avantages, notamment lorsqu'il s'agit du sommeil du ou des bambins.

En effet, si vous vivez seul(e) avec votre enfant, vous pouvez entièrement vous consacrer à lui sans avoir à vous préoccuper de l'avis ou des besoins de votre conjoint. Le revers de la médaille : c'est vous qui assumez totalement votre enfant s'il se réveille la nuit – mais au moins vous ne craignez pas qu'il réveille votre conjoint.

Les amis et la famille jouent un rôle primordial dans les familles monoparentales. N'hésitez pas à demander de l'aide en cas de besoin. S'occuper d'un enfant sept jours sur sept est éprouvant, même si vous adorez votre fils ou votre fille. Si, en plus de vous occuper de votre enfant, vous travaillez à l'extérieur, il ne vous faudra pas longtemps pour réaliser que vous n'avez plus une minute à vous. Confier son chérubin à quelqu'un, ne serait-ce qu'une demi-heure pour se prélasser dans son bain ou passer un coup de téléphone, est fort appréciable. Vous libérer un créneau dans la semaine n'est pas toujours facile, aussi essayez toujours d'avoir une ou deux personnes sur lesquelles vous pouvez compter quand l'opportunité se présente.

La nuit, les situations paraissent toujours plus graves. Si votre bébé se réveille et que, malgré tous vos efforts, vous n'arrivez pas à calmer ses pleurs, vous risquez de vous sentir bien seul et désemparé. Les informations livrées dans cet ouvrage aideront votre enfant à dormir plus et mieux.

Que votre bébé soit un gros dormeur ou non, il est impératif que vous n'ayez pas à vous occuper de lui au moins une nuit de temps à autre. Ce n'est pas parce que votre meilleure amie, votre sœur ou votre mère prendront la relève et passeront une mauvaise nuit qu'elles vous en tiendront rigueur. Elles savent que *vous* avez besoin de faire régulièrement une nuit complète.

Les enfants qui se réveillent plusieurs fois la nuit chez eux dorment très souvent d'une traite lorsqu'ils sont chez leurs grands-parents. Inutile de vous jeter la pierre et de vous persuader que vous êtes un mauvais père ou une mauvaise mère. Si votre enfant dort mieux chez les autres, c'est tout simplement parce qu'il ne fait pas les mêmes associations que chez vous et dans un environnement qui lui est moins familier. Culpabiliser ne sert à rien.

Les jumeaux et les triplés

Dans les chapitres précédents, nous nous sommes intéressés au sommeil des enfants d'âges différents. Si nous sommes tous confrontés à des problèmes plus ou moins importants selon les besoins et le rythme de nos enfants, les parents de jumeaux, triplés voire plus sont les plus à plaindre. Même si l'annonce d'une grossesse multiple vous a ravis et que la naissance de vos enfants a été un véritable bonheur, soyez raisonnables et assurez-vous que vous dormez suffisamment pour assumer le quotidien.

L'expérience vécue par Line et Franck, parents de Lucas et Anaëlle, est édifiante.

Pour Line, les jours qui ont suivi le retour de la maternité ont été un véritable cauchemar. Elle n'arrivait pas à s'organiser et elle avait l'impression de sans cesse devoir abandonner l'un des jumeaux pour s'occuper de l'autre. Heureusement, Franck était en congé parental et tous deux ont réussi tant bien que mal à passer ce cap difficile.

Il leur a fallu huit semaines pour mettre en place un rituel efficace à l'heure du coucher et que Lucas et Anaëlle fassent leur nuit. Line et Franck sont plus détendus car ils ont la situation bien en main alors que les jumeaux sont des enfants calmes et heureux de vivre.

Les secrets de leur réussite

La mise en place très rapidement d'un rituel à l'heure du coucher. Line a eu recours à des éléments déclencheurs de sommeil : chanson, paroles rassurantes et environnement familier propice à l'endormissement.

- Après la tétée de 19h, Line couchait les enfants avant qu'ils s'endorment. Dans un premier temps, Lucas et Anaëlle avaient du mal à trouver leur sommeil. Ils gazouillaient dans leur lit, gigotaient et, parfois, pleurnichaient. Au fil du temps, ils ont mis de moins en moins de temps à s'endormir.
- Tant que Lucas et Anaëlle étaient nourris au biberon, Line et Franck les réveillaient vers 22h pour leur donner la tétée. Après leur avoir fait faire leur rot, ils les recouchaient.
- Lucas est un plus gros dormeur que sa sœur mais, bien que partageant le même lit qu'elle, Anaëlle ne l'a jamais réveillé. En effet, Lucas s'est très vite habitué aux gazouillis et à la présence de sa sœur à ses côtés. Line recommande à tous les parents ayant des jumeaux de faire dormir leurs enfants dans le même lit, ce qui les sécurise et les réconforte lorsqu'ils se réveillent au milieu de la nuit. Rassuré par la présence de l'autre, l'enfant qui se réveille se rendort sans que ses parents aient à intervenir.
- Au début, Lucas et Anaëlle dormaient dans deux couffins séparés mis tête-bêche dans un lit. Ils ont dormi ainsi jusqu'à ce qu'ils aient quinze semaines et que leurs parents les installent dans des lits séparés placés côte à côte.
- Line et Franck changeaient la couche de leurs bébés à la tétée de 22h mais, si l'un des enfants se réveillait après, ils ne le faisaient plus, sauf bien évidemment si nécessaire.
- Le plus difficile avec des jumeaux, c'est de gérer les réveils très matinaux.
- Line et Franck ont remarqué qu'au début de la nuit, si un enfant se réveillait et pleurait, il ne réveillait pas l'autre qui, fatigué, dormait d'un sommeil profond.

Au contraire, si l'un des enfants se réveillait et pleurait vers 5h du matin, le second se réveillait aussi, son sommeil étant plus léger qu'au début de la nuit.

Nombre de parents pensent que la meilleure solution est de prendre le bébé qui est réveillé dans leur lit. Malheureusement, agir ainsi ne peut qu'avoir des conséquences fâcheuses car l'enfant prend l'habitude de passer d'un lit à l'autre et se réveille de plus en plus tôt sachant qu'il va finir sa nuit entre papa et maman. Certains enfants vont même jusqu'à refuser de dormir dans leur lit et considérer celui de leurs parents comme leur « vrai » lit.

La meilleure solution est de laisser l'enfant qui se réveille dans son lit, même s'il perturbe le sommeil de son frère ou de sa sœur, s'il empêche ses parents de dormir et horripile les voisins. Lorsque les enfants sont tout petits, libres à vous de rester près d'eux jusqu'à ce qu'ils se rendorment ou qu'il soit l'heure de se réveiller.

Les enfants de moins de 6 mois ou qui ne mangent pas encore des aliments solides trois fois par jour réclament souvent à téter aux premières lueurs du jour. Après l'avoir nourri, il est important que vous recouchiez votre enfant dans son lit et que vous l'encouragiez à se rendormir (l'idéal étant qu'il fasse des nuits d'environ onze heures).

Si vous autorisez votre fils ou votre fille à se lever aux aurores, il ou elle n'aura pas l'occasion d'apprendre à se rendormir. Faites preuve de patience. Après l'avoir recouché(e), installez-vous près de son lit mais surtout ne jouez pas avec lui/elle et ne lui parlez pas. Réconfortez-le/la jusqu'à ce qu'il/elle finisse par s'endormir.

Tant que vos enfants se réveillent à l'aube, ne vous couchez pas trop tard le soir afin d'être en forme le lendemain matin. L'idéal est que vous et votre conjoint(e) assumiez les lever matinaux à tour de rôle. C'est ce qu'ont fait Line et Franck et, grâce à ces « tours de garde », ni l'un ni l'autre n'ont jamais été véritablement épuisés.

À 1 an, Lucas et Anaëlle faisaient leur nuit complète. Leurs parents les couchaient à 19 h et les levaient à 7 h.

Pour Line, ce qui est merveilleux avec des jumeaux c'est « qu'ils sont deux et qu'ils ne se sentent jamais seuls et abandonnés lorsque leurs parents leur disent bonne nuit et quittent leur chambre ».

Ne craignez pas que celui de vos enfants qui dort le moins bien perturbe à tout jamais le sommeil de ses frère(s) ou sœur(s). La période que vous vivez n'est que transitoire et les enfants ont une grande faculté à oublier ce qui, un jour, les a dérangés.

Si vous restez calmes et que vous montrez que vous gérez parfaitement la situation, vos enfants seront également calmes et se sentiront en sécurité. Or le calme et la sécurité favorisent les nuits paisibles et réparatrices.

Aider des jumeaux ou des triplés à bien dormir

- Faites-les dormir l'un près de l'autre : dans un premier temps dans le même lit et, plus tard, dans deux lits mis côte à côte.
- Respectez tous les soirs le même rituel à l'heure du coucher.
- Couchez les enfants avant qu'ils s'endorment.
- Ne prenez pas l'enfant qui se réveille la nuit dans votre lit sous prétexte qu'il risque de réveiller ses frère(s) et sœur(s).
- Rassurez-les en leur montrant que vous les aimez mais ne dérogez pas aux lignes de conduite que vous vous êtes fixées.

Les enfants adoptés

Vous venez d'adopter un enfant et vous voici parents. Vous avez peur de ne pouvoir assumer vos nouvelles responsabilités. Rassurez-vous ! Tous les parents sont comme vous, même si votre situation est un peu plus compliquée dans la mesure où vous n'avez pas toujours toutes les informations quant à l'histoire familiale de l'enfant qui vit aujourd'hui avec vous.

Pour ce qui est du sommeil, apprenez à exploiter les informations qui sont là sous vos yeux. Observez votre enfant afin de détecter le moindre signe de fatigue. Peu à peu, vous arriverez à deviner ce dont il a besoin – câlin, sieste – et vous serez à même de répondre à ses attentes aussi bien que n'importe quel autre parent.

Essayez de récolter le plus de renseignements possible quant au rythme biologique et aux habitudes du bébé ou du bambin que vous accueillez au sein de votre famille :

- Dort-il avec une tétine ?
- Réclame-t-il un biberon la nuit ? Si oui, vers quelle heure ?
- Dort-il avec un doudou ou une peluche ?
- A-t-il besoin qu'une petite lampe reste allumée la nuit ?
- A-t-il besoin d'être bercé pour s'endormir ?
- S'endort-il seul ou a-t-il besoin d'une présence à ses côtés ?

Vous estimez peut-être nécessaire de changer certaines de ses habitudes. Quelle que soit votre décision, veillez à ce que tout changement se mette en place en douceur.

Étude de cas

Enzo, 2 ans, récemment adopté, a du mal à dormir

Enzo a été adopté par Valérie et Georges à 18 mois. Lorsqu'il avait 3 mois, Enzo a été placé par la DDASS dans une famille d'accueil. Valérie et Georges n'ont que peu d'informations sur la naissance et les premiers mois d'Enzo si ce n'est que sa mère naturelle était très jeune et consommait régulièrement des drogues dures. Jusqu'à l'âge de 1 an, le petit garçon a souffert d'un retard sur le plan du développement physique et mental mais aujourd'hui tout va bien et rien ne le différencie des enfants de son âge.

Le problème

Si l'on en croit sa première famille d'accueil, Enzo a toujours été un bon dormeur. Or depuis qu'il vit avec Valérie et Georges, il se réveille toutes les nuits.

Valérie et Georges mettent ces réveils systématiques sur le compte de l'angoisse générée par le fait d'avoir changé de maison et de famille. Ils font tout ce qui est en leur pouvoir pour rassurer leur fils, notamment au moment du coucher. Chaque soir, son père ou sa mère lui donne un biberon et lui lit une histoire, puis Valérie le prend dans ses bras et le berce jusqu'à ce qu'il s'endorme. Ce n'est que lorsqu'Enzo dort profondément qu'elle le met dans son lit. Invariablement, Enzo se réveille quelques heures plus tard en pleurant et en appelant sa maman. Il faut compter environ une heure pour qu'il se calme et se rendorme. Le scénario se produit plusieurs fois chaque nuit.

On peut parfaitement comprendre que Valérie et Georges soient persuadés que c'est l'angoisse qui pousse leur fils à se réveiller.

Si le passé d'Enzo a bien évidemment son importance, il faut savoir que tous les enfants de 2 ans qui s'endorment dans les bras de leurs parents ont tendance à se réveiller et à pleurer la nuit.

La solution

Valérie et Georges doivent apprendre à leur fils à s'endormir seul le soir. Devoir laisser Enzo seul dans sa chambre les a considérablement perturbés car ils étaient convaincus qu'il avait besoin de leur présence pour être rassuré et s'endormir. Je leur ai expliqué que ce qui était traumatisant pour Enzo ce n'était pas de s'endormir seul le soir mais de s'endormir dans les bras de sa mère et de se réveiller seul. Il a été convenu que Valérie et Georges essaieraient de mettre en place un nouveau rituel de manière progressive afin de ne pas générer une nouvelle angoisse chez leur fils.

Si on s'en réfère aux dessins (très réussis) d'Enzo, Valérie et Georges ont atteint leur objectif et leur fils est un petit garçon joyeux et parfaitement équilibré.

Le plan d'action
Conseils donnés aux parents d'Enzo

- Le premier jour, organisez un jeu de rôle. Demandez à Enzo de coucher ses peluches dans son lit, de les border, de leur souhaiter une bonne nuit et de sortir de la chambre. Félicitez les peluches qui s'endorment toutes seules.
- Dans la journée, répétez à plusieurs reprises à Enzo que ce soir lui aussi devra s'endormir tout seul comme un grand garçon. Soyez calmes et jovials et vous verrez qu'Enzo n'émettra aucune protestation.
- Après le bain du soir, que l'un de vous prenne Enzo sur ses genoux et lui lise de une à trois histoires. Il est important que la séance de lecture se termine chaque soir par la même histoire.
- Faites ensuite un câlin à Enzo, bercez-le puis couchez-le avant qu'il s'endorme.
- Restez près du lit de votre fils. Attendez-vous à ce qu'il se mette debout dans son lit et pleure en réclamant les bras. Même si cela vous fend le cœur, ne cédez pas. Il est normal que votre fils manifeste son désaccord dans la mesure où vous changez ses habitudes. Restez près de lui jusqu'à ce qu'il s'endorme, ce qui peut prendre une heure voire plus.
- Les deux soirs suivants, le même scénario risque de se reproduire. Tenez bon car, une fois qu'Enzo sera capable de s'endormir dans son lit et non plus dans vos bras, un cap important sera franchi.
- Les trois soirs suivants, que celui des parents qui reste avec Enzo s'éloigne de plus en plus du lit, le but étant que le quatrième soir, il soit quasiment à la porte de la chambre quand Enzo s'endormira.
- La semaine suivante, respectez le rituel du soir, souhaitez une bonne nuit à votre fils et sortez immédiatement de la chambre. S'il vous appelle, allez le voir mais ne vous éternisez pas ou dites-lui simplement « je suis là, ne t'inquiète pas ».
- Si les pleurs et les appels persistent, allez voir Enzo mais ne parlementez pas. Ce n'est plus l'heure ni de jouer ni de raconter

une histoire. Il est toujours difficile de refuser un câlin mais votre fils doit apprendre à se contenter d'un bisou. Expliquez-lui que la nuit on dort et que le matin on fait les câlins.

- Enzo risque de mettre du temps à s'endormir. Ce n'est pas grave. Le plus important, c'est que vous ne soyez pas dans sa chambre lorsqu'il tombe dans les bras de Morphée.
- Si Enzo se réveille la nuit, allez le voir et rassurez-le. Soyez positifs et dites-lui que vous êtes contents et fiers de lui car il s'est endormi tout seul comme un grand garçon. Lorsqu'il a retrouvé son calme, sortez de sa chambre, quitte à revenir si nécessaire.
- Le matin, ouvrez les volets et faites un gros câlin à votre fils en le félicitant pour son comportement. Pour l'encourager, donnez-lui une petite récompense.

Le résultat

Dans un premier temps, Valérie et Georges se sont montrés réticents. Après mûre réflexion, ils ont décidé de suivre le plan d'action ci-dessus et n'ont dérogé à aucune règle.

La première nuit a été très éprouvante à la fois pour Enzo et pour ses parents. Heureusement, la situation s'est progressivement améliorée et, au bout de dix jours, le petit garçon n'avait plus besoin de la présence de ses parents pour s'endormir et il ne se réveillait plus la nuit. Beaucoup moins fatigué, il était plus calme et moins « collant » dans la journée.

Conclusion

Même si votre enfant dort mal que ce soit pour des raisons médicales, des troubles émotionnels ou autres, il n'y a aucune raison pour que vous n'arriviez pas à résoudre le problème, la condition *sine qua non* étant de ne pas brûler les étapes et vouloir avancer trop vite.

Être à l'écoute des problèmes d'ordre émotionnel et psychologique de votre enfant – naturel ou adopté – ne peut que l'aider à passer de bonnes nuits.

Utilisez toutes les informations susceptibles de vous venir en aide : livres spécialisés, conseils donnés par les amis, la famille ou les professionnels. Mieux vaut être informé que se jeter aveuglément dans une aventure quelle qu'elle soit.

Le fait que votre fils ou votre fille ne soit pas votre enfant biologique ne doit pas vous faire peur. Maintenant, vous êtes ses parents. Vous avez voulu cet enfant et, chaque jour, vous apprenez à le connaître un peu mieux. Vous l'aimez et vous voulez son bien, alors fiez-vous à votre instinct. Être parents n'est pas inné, cela s'apprend, que vous soyez des parents biologiques ou des parents adoptifs.

Conseils à l'attention des grands-parents, sœurs, tantes et amis

Confier de temps à autre votre fils ou votre fille à ses grands-parents est bénéfique non seulement pour votre enfant mais également pour vous. En général, les grands-parents ont toujours grand plaisir à garder leurs petits-enfants à condition, bien évidemment, que leur âge et leur santé le leur permettent et qu'ils acceptent de se lever la nuit si besoin. Les liens qui, au fil du temps, se tissent entre un enfant et ses grands-parents sont enrichissants et ne peuvent que lui être profitables. Par ailleurs, savoir que vous pouvez vous accorder une pause et confier en toute tranquillité votre enfant à vos parents ou beaux-parents est réconfortant. Il est important que votre enfant ait l'habitude de passer du temps avec des adultes autres que ses parents car rien ne dit que ces derniers ne seront pas obligés pour une raison médicale, professionnelle ou autre, de le faire garder un jour ou l'autre par une tierce personne.

Demander à une personne de garder votre enfant chez vous ou chez elle ne s'improvise pas. En effet, confier votre bien le plus précieux à un parent ou à un ami exige que vous ayez entièrement confiance en la personne. Donnez-lui toutes les informations qui vous paraissent *capitales* afin que tout se passe dans les meilleures conditions. Acceptez qu'elle ne fasse pas tout exactement comme vous, l'essentiel étant que son mode de fonctionnement et ses convictions ne soient pas diamétralement opposés aux vôtres.

Un enfant, même tout petit, saura faire la différence entre les nuits passées chez lui et les nuits passées chez ses grands-parents. Il sait notamment que si papy l'endort en le berçant, papa lui lit une histoire et le couche avant qu'il s'endorme.

Pour que votre enfant dorme bien chez ses grands-parents

- Assurez-vous que vos parents et beaux-parents savent exactement à quelle heure et comment se déroule le rituel du soir.
- Donnez-leur des jouets, peluches, doudou ou tétine que votre enfant a l'habitude d'avoir dans son lit.

- N'oubliez pas le biberon et le lait maternisé afin que votre enfant puisse téter si nécessaire. Mieux vaut prévoir trop que pas assez.
- Facilitez-leur la vie au maximum. Laissez-leur une note avec vos recommandations, comme les quantités d'eau et de poudre à utiliser, par exemple.
- Avant de laisser votre enfant une nuit entière chez ses grands-parents, prévoyez plusieurs visites chez eux afin qu'il s'habitue à ce nouvel environnement.
- La première fois que vous laissez votre enfant, n'allez pas trop loin afin de pouvoir revenir rapidement si besoin. Avant de le confier un week-end entier, laissez-le quelques heures puis une journée et enfin une journée et une nuit afin de voir sa réaction.
- Communiquez toutes vos coordonnées afin d'être joints en cas de nécessité. Cette précaution ne signifie pas que vous n'avez pas confiance mais que vous ne voulez pas que vos parents ou beaux-parents se sentent démunis en cas de problème.
- Montrez-leur que vous leur faites entièrement confiance et que vous êtes sûrs que votre enfant se plaira avec eux et que tout ira bien.
- Revenez chercher votre enfant à l'heure dite – ni plus tôt ni plus tard – afin de ne pas perturber l'organisation.

Les différents modes de garde

Nous avons tous, à un moment ou un autre, besoin de faire garder notre enfant. De nos jours, il est fréquent que les deux parents travaillent à plein temps et habitent loin de leur famille respective. Ils doivent compter sur les nourrices, filles au pair, crèches et baby-sitters.

Souvent, les bébés qui ont du mal à dormir chez eux font de longues siestes et des nuits complètes lorsqu'ils sont à la crèche, chez la nourrice ou avec une baby-sitter, ce qui pour nombre de parents est on ne peut plus frustrant. Rassurez-vous ! Si votre enfant met longtemps avant de s'endormir et/ou se réveille souvent, ce n'est pas de votre faute. Vous ne faites rien de mal. Votre enfant n'attend tout simplement pas les mêmes choses lorsqu'il est avec vous et lorsqu'il est avec une nourrice ou une auxiliaire de puériculture, ce qui a des répercussions sur son sommeil.

Les raisons qui font que les bébés ont tendance à mieux dormir à l'heure de la sieste chez la nourrice ou à la crèche :

- Ils « prennent modèle » sur les autres enfants et donc dorment quand les autres dorment.
- La journée est, par nécessité, plus structurée qu'à la maison. L'heure de la sieste est toujours la même et les enfants dorment quand on les couche.
- La nourrice et l'auxiliaire de puériculture qui ont la charge de plusieurs enfants ne peuvent pas bercer et câliner chacun d'eux.

Ce qui est valable pour la sieste l'est aussi le soir. Lorsque vous confiez votre bébé à une baby-sitter, il ne s'attend pas à ce qu'elle le câline des heures durant et cède à ses caprices. Conclusion, il s'endort généralement plus vite qu'avec vous.

Si vous travaillez du matin au soir, vous voulez profiter au maximum de votre enfant lorsque vous êtes à la maison, ce qui se comprend aisément. Pour passer le plus de temps possible avec lui, vous êtes prêt à le câliner et lui donner le biberon jusqu'à ce qu'il s'endorme. Par ailleurs, vous ne voulez pas que votre enfant pleurniche ou pique une crise alors que vous avez si peu de temps à partager avec lui. Acceptez que les méthodes de la baby-sitter soient différentes des vôtres et que, de ce fait, le sommeil de votre enfant n'ait pas la même qualité.

Un enfant n'est pas perturbé si la personne qui le garde n'a pas recours aux mêmes méthodes que ses parents. Il fera rapidement la différence. Précisons qu'un enfant s'habitue très vite à une situation et agit en conséquence. Si, par exemple, à l'heure de la sieste, la nourrice de votre bébé lui fait un bisou, le couche et sort de la pièce alors que vous lui faites un gros câlin, lui chantez une chanson et restez près de son lit jusqu'à ce qu'il s'endorme, attendez-vous à ce qu'il proteste si vous optez du jour au lendemain pour la méthode de la nourrice.

Vous comprenez maintenant pourquoi rien ne sert de demander à une nourrice d'apprendre à votre enfant à s'endormir. En effet, ce qui risque de se produire, c'est que tout marchera comme sur des roulettes avec elle mais, dès que vous prendrez le relais, ce sera le fiasco le plus complet. Nul ne peut faire les choses à votre place.

Idéalement, c'est à la personne qui s'occupe le plus souvent de l'enfant le soir, qui le couche et se lève durant la nuit de mettre en place le plan d'action.

À 18 mois, Hélène réclamait toujours le sein la nuit. C'est à cette époque que j'ai appris que j'étais enceinte de mon deuxième enfant. Mon mari et moi travaillions à plein temps mais, dans la mesure où j'allaitais Hélène, c'est moi qui me levais la nuit. Conclusion, j'ai été rapidement épuisée. Nous avons fait appel à un service d'aide à domicile et une nourrice s'est occupée d'Hélène le soir. Au bout d'une semaine, notre fille s'endormait sans problème vers 19 h et elle faisait des nuits complètes.

Mon mari et moi étions ravis mais, quand la nourrice nous a quittés et que je me suis à nouveau occupée d'Hélène, elle a tout de suite réclamé le sein. Elle a piqué une telle colère que j'ai capitulé. Hélène s'est finalement endormie mais devinez quoi… elle s'est réveillé au beau milieu de la nuit pour téter !

J'ai réalisé que moi seule pouvais apprendre à ma fille à s'endormir seule le soir et à ne plus se réveiller la nuit. J'ai décidé d'appliquer à la lettre la méthode de la nourrice. Malgré les pleurs, j'ai tenu bon et aujourd'hui tout va bien. Le soir, je donne le sein à Hélène, je lui lis une histoire puis je la couche et elle dort jusqu'au lendemain matin.

L'aide de la nourrice nous a été précieuse car elle nous a permis de rattraper tout le sommeil qui nous manquait mais, au bout du compte, c'est moi qui ai appris à Hélène à faire ses nuits.

Pour qu'un enfant dorme bien, il est primordial qu'il y ait une cohérence entre le comportement de la nourrice, de l'auxiliaire de puériculture ou de la baby-sitter et celui des parents, ce qui sous-entend qu'il y ait une bonne communication entre eux. Pour faciliter les échanges, demandez à la personne qui garde votre enfant de tenir une sorte de carnet de bord sur lequel figurent les informations ci-dessous :

- Siestes : heures, durée et lieu.
- Repas et collations : heures, aliments donnés et quantités.
- Changes : fréquence et qualité des selles.
- Promenades et autres activités.

Vous devez impérativement prendre en compte ce qui s'est passé durant la journée. En effet, si votre enfant a fait une très longue sieste, il n'aura probablement pas sommeil à l'heure du coucher. Il est important de savoir à quelle heure et combien de temps votre enfant a dormi afin de vous organiser en conséquence. La sieste n'est qu'un exemple parmi tant d'autres qui montre à quel point il est important qu'il y ait une bonne communication entre vous et la personne à laquelle vous confiez votre enfant dans la journée.

Petits maux et vraies pathologies

Dans ce chapitre, vous apprendrez à :

- **aider un enfant malade à mieux dormir ;**
- **trouver un rituel répondant aux besoins spécifiques d'un enfant malade ;**
- **minimiser l'impact d'un traitement médical de longue durée sur le sommeil d'un enfant.**

Les bébés sont plus fragiles à certaines périodes qu'à d'autres. Ils ont alors besoin de soins spécifiques, notamment la nuit. Si, la plupart du temps, ces périodes sont de courte durée (maladie bénigne ou poussée dentaire), elles peuvent malheureusement durer plusieurs semaines voire plusieurs mois (reflux gastro-œsophagiens ou eczéma). Les bébés souffrant de pathologies lourdes (trisomie 21 ou autres maladies congénitales, déficience sensorielle ou maladie de longue durée) ont quant à eux besoin de soins particuliers de jour comme de nuit. Ce n'est souvent qu'au sortir de l'enfance que la situation s'améliore.

S'il est essentiel que ces enfants rechargent leurs batteries la nuit afin d'être en mesure de relever les défis que leur lance la maladie, leurs parents doivent, pour les mêmes raisons, avoir un sommeil réparateur.

Apprendre à un enfant malade à s'endormir sans la présence de ses parents à ses côtés nécessite de mettre en place une stratégie mûrement réfléchie qui tient compte de l'état physique de l'enfant, de ses émotions, mais aussi des traitements médicaux prescrits. Laisser un enfant qui souffre pleurer seul dans son lit est inconcevable et ne peut qu'avoir un impact négatif sur son développement. Les parents doivent se montrer patients et compréhensifs, même si franchir une étape leur demande plus de temps que ce à quoi ils s'attendaient.

Si votre enfant souffre d'un handicap ou d'une maladie, il va de soi que la priorité n'est pas de lui apprendre à s'endormir seul et à faire des nuits complètes, mais de lui faciliter la vie, de le réconforter et de le soulager.

Les poussées dentaires

Les poussées dentaires ne sont pas considérées comme une maladie, mais comme un processus naturel plutôt douloureux. En moyenne, la première dent apparaît entre 6 et 7 mois, parfois dès l'âge de 3 mois, voire, très rarement, avant ou après ces dates. Mais il arrive que des enfants naissent avec des dents alors que d'autres n'en ont aucune à 18 mois.

Signes et symptômes

- Les gencives sont rouges et boursouflées.
- Le bébé cherche à mordiller.
- Le bébé bave beaucoup.

- Ses pommettes sont rouges.
- Ses selles sont molles et favorisent le développement d'un érythème fessier.
- Le bébé tire sur ses oreilles.
- Le bébé est irascible car il souffre.
- Il peut avoir une fièvre modérée.
- Il refuse de manger.
- Ses nuits sont agitées.

Les douleurs qui accompagnent les poussées dentaires varient en fonction de l'épaisseur de la gencive, mais aussi de la sensibilité de l'enfant. Il est fréquent que les enfants qui font une dent se réveillent plusieurs fois la nuit en pleurant.

Important : certaines maladies graves présentent les mêmes symptômes que les poussées dentaires. Si votre bébé a de la fièvre (au-dessus de 39 °C), s'il est grincheux et agité, demandez un avis médical.

Les poussées dentaires perturbent très souvent le sommeil des enfants et donc le sommeil des parents. Si votre bébé fait ses dents, les conseils ci-dessous seront bénéfiques à tout le monde.

- Il est important que, tout au long de la journée, vous donniez à votre bébé quelque chose à mordiller.
- Si votre enfant a plus de 6 mois, donnez-lui une carotte réfrigérée, un croûton de pain ou un biscuit pour bébé bien dur, qui ramollissent avec la salive.
- Le froid calme l'inflammation. Donnez à votre bébé une compote de fruits ou un yaourt que vous aurez au préalable conservés au réfrigérateur.
- Vous pouvez éventuellement acheter un anneau de dentition mais ne le mettez jamais au congélateur.

Un bébé qui fait ses dents bave abondamment d'où une irritation du menton. Ci-dessous quelques précautions à prendre :

- Changez régulièrement son bavoir ou remplacez le bavoir traditionnel par un morceau de mousseline ou des mouchoirs en papier.
- Lorsqu'il a bu ou mangé, nettoyez la bouche de votre bébé avec un tissu en coton doux trempé dans de l'eau chaude plutôt qu'avec des lingettes qui risquent de coller à la peau.
- Essuyez soigneusement tous les petits plis sous le menton afin que la peau ne s'irrite pas.

- Appliquez doucement sur la zone irritée une crème cicatrisante et hydratante.

Si ces petits moyens ne sont pas efficaces, il faut alors recourir à un traitement médical analgésique et ne pas laisser inutilement souffrir l'enfant. Demandez conseil à votre médecin pour avoir du paracétamol, de l'aspirine ou un gel à appliquer sur les gencives. Dans tous les cas, respectez la posologie prescrite et n'administrez pas de médicaments autres que ceux qui auront été indiqués par votre médecin.

Lors d'une poussée dentaire, les selles de votre bébé sont souvent plus molles, d'où une irritation des fesses. Pour éviter toute infection :

- Changez la couche dès qu'elle est sale.
- Sur une peau abîmée, l'urine brûle. Si votre enfant pleure sans raison apparente, regardez sa couche.
- Dans la mesure du possible, asseyez ou allongez votre bébé sur une serviette et ne lui mettez pas de couche.
- Nettoyez les fesses avec un gant doux et de l'eau chaude, et évitez les lingettes.
- Appliquez sur la zone irritée une pommade protectrice et veillez à ce qu'il n'y ait pas de surinfection.
- Si, au bout de 48 heures, vous ne notez aucune amélioration, demandez un avis médical. Toutes les affections dues au champignon *Candida* nécessitent l'utilisation d'une pommade antifongique. Les champignons sur le siège sont aussi courants chez les garçons que chez les filles. La prolifération est d'autant plus importante que la zone est souillée (les fesses) ou humide (la peau du menton).

Un enfant qui tire sur ses oreilles souffre généralement d'une otite. Même si les otites sont fréquentes lors des poussées dentaires, elles ne doivent pas être prises à la légère. Consultez votre pédiatre ou votre médecin traitant, qui vérifiera qu'il n'y a aucune autre maladie sous-jacente et prescrira l'antalgique le plus approprié. Si l'otite est due à une bactérie et non à la seule poussée dentaire, des antibiotiques devront probablement être administrés.

Jonathan a toujours été un bébé calme et souriant. Il a rapidement fait ses nuits. Dans la journée, il pleurait uniquement lorsqu'il était fatigué ou avait faim. À 6 mois, ses premières dents sont sorties et, du jour au lendemain, sa personnalité a changé du tout au tout. Jonathan pleurait du matin au soir et, malgré tous nos efforts, ni mon mari ni moi n'arrivions à le calmer. Il était évident que notre fils souffrait. Ses gencives étaient enflées, il bavait abondamment et la peau de son menton était irritée. Il avait de fortes diarrhées qui ont entraîné un érythème fessier, ce qui n'a rien arrangé.

La journée, mordre son anneau de dentition (ou tout autre chose) semblait le soulager. La nuit, c'était une autre histoire. Il se réveillait en hurlant à intervalles réguliers et il était inconsolable. Il avait souvent le nez bouché et donc du mal à respirer. Nous avons pris rendez-vous chez notre médecin traitant. Pour elle, les poussées dentaires ne sont pas des petits bobos insignifiants. Elle a prescrit du paracétamol à donner à Jonathan le soir au coucher et de la pommade à appliquer sur ses fesses. Elle nous a également conseillé de relever la tête du lit de notre fils afin qu'il puisse mieux respirer.

La première poussée dentaire a été la plus douloureuse mais elle n'a heureusement pas duré très longtemps. Nous savons maintenant ce qu'il faut faire et nous redoutons moins les prochaines crises.

Une fois ses premières dents sorties, Jonathan a retrouvé son rythme et dort aussi bien la nuit qu'à l'heure de la sieste. Je pense que si nous l'avions pris avec nous dans notre lit ou si nous lui avions donné un biberon lorsqu'il se réveillait, tout ne serait pas rentré dans l'ordre aussi rapidement.

Les coliques du nourrisson

Les coliques du nourrisson désignent des crises de pleurs qui apparaissent généralement en fin d'après-midi ou dans la soirée. Ces pleurs difficilement contrôlables peuvent s'accompagner de douleurs abdominales spasmodiques. Donner un biberon à votre bébé pour le calmer n'arrange rien, bien au contraire. Nombre de parents affirment que la seule solution qu'ils aient trouvée pour apaiser leur enfant est de le prendre dans leurs bras. Or, il est évident que passer ses soirées à bercer son bébé n'est pas idéal, d'autant que cette situation peut engendrer des problèmes sur le long terme.

Comme leur nom l'indique, les coliques du nourrisson touchent tout particulièrement les tout-petits et disparaissent vers 3 ou 4 mois.

Les pleurs qui accompagnent les coliques sont très violents et peuvent totalement déstabiliser les parents, en particulier lors de la première crise. Si votre bébé se met tout d'un coup à hurler ou si vous avez le moindre doute quant à son état de santé général, consultez sans attendre un médecin qui saura vous dire si les pleurs sont dus aux coliques ou à une maladie plus sérieuse.

Signes et symptômes

- Association des 3 éléments ci-dessous :

1. pleurs plus de 3 heures par jour,
2. pleurs plus de 3 jours par semaine,
3. pleurs réguliers pendant plus de 3 semaines d'affilée.

- Les coliques apparaissent généralement entre la 2e et la 4e semaine qui suivent la naissance.
- Le bébé pleure pratiquement tous les jours à la même heure – généralement le soir.
- Les intestins font du bruit et se contractent violemment.
- Le bébé a beaucoup de gaz.
- Le bébé a tendance à ramener ses genoux vers son ventre puis il se tend comme un arc en hurlant.

Le diagnostic est essentiel, même s'il n'existe aucun traitement médicamenteux. En effet, certaines mesures peuvent diminuer les douleurs.

Conseils d'amie

Soulager les coliques du nourrisson

1. Les crises apparaissant pratiquement toujours au même moment de la journée, essayez dans la mesure du possible de faire venir un parent ou un(e) ami(e) qui saura vous aider si vous avez du mal à gérer la situation.
2. Plutôt que de prendre votre enfant dans vos bras (ce qui à la longue peut être fatigant), mettez-le dans un porte-bébé et marchez. Votre bébé a le dos parfaitement droit et il est rassuré car tout contre vous.
3. Si certains membres de votre famille souffrent d'une intolérance au lait de vache et que vous allaitez votre bébé, essayez pendant quelque temps de supprimer les protéines du lait de vache de

votre alimentation. En effet, l'intolérance ou l'allergie aux protéines de lait de vache est héréditaire.

4. Si vous allaitez, essayez d'identifier les aliments que vous consommez et qui, a priori, déclenchent des coliques chez votre bébé. Les plats épicés, les aliments acides, certains légumes (par exemple, le chou) et produits laitiers sont à éviter. Demandez conseil à votre médecin traitant ou à un diététicien.
5. Si votre bébé est nourri au biberon, il est probable que votre pédiatre vous conseille de changer de lait maternisé.
6. Après chaque tétée, veillez à ce que votre bébé fasse son rot. Des petits mouvements circulaires dans le bas du dos sont plus efficaces que des petites tapes dans le haut du dos.
7. Si votre bébé est nourri au biberon, limitez au maximum l'absorption d'air en utilisant un biberon initiation doté d'une valve anticoliques.
8. Réglez le débit de la tétine afin qu'il ne soit ni trop faible ni trop important ce qui augmente la quantité d'air absorbée.
9. Certains produits homéopathiques ou en vente libre sont très efficaces. Renseignez-vous auprès de votre pharmacien.
10. Un bain chaud calme parfois les douleurs. Pourquoi ne pas essayer ?

Incidences des coliques du nourrisson sur le sommeil

En règle générale, lorsque la crise est passée, les bébés épuisés s'endorment tout d'un coup dans les bras de leurs parents.

Il est fréquent qu'ils se réveillent quelques heures plus tard – soit à l'heure habituelle de la tétée, soit plus tôt –, et qu'il faille attendre un certain temps avant qu'ils se rendorment non pas parce qu'ils souffrent de douleurs abdominales mais parce qu'ils ont pris l'habitude de s'endormir dans les bras de papa ou de maman et qu'ils n'arrivent pas à trouver leur sommeil seuls.

Dans la mesure où les coliques disparaissent généralement spontanément vers 4 mois, il est conseillé aux parents de faire tout ce qui est en leur pouvoir pour apaiser les douleurs et consoler leur enfant. En effet, en période de crise, le bébé a vraiment besoin d'être rassuré. Être blotti tout contre son père ou sa mère est souvent la seule solution pour qu'il s'endorme. Même si nombre de parents redoutent que ce besoin légitime perdure lorsque l'enfant est plus grand, sachez qu'il n'est jamais trop tard pour reprendre les choses en mains.

Deux semaines après sa naissance, Amélie a commencé à souffrir de coliques en fin de journée et, pour chacun de nous, ce fut le début d'un véritable cauchemar. En effet, Amélie hurlait de douleur et ni son père ni moi n'arrivions à la consoler. Très vite, j'ai été totalement épuisée et démoralisée. Pendant plusieurs semaines, nous avons passé une partie de nos nuits à arpenter les pièces de la maison avec Amélie dans nos bras. Dans tous les livres spécialisés, il est écrit que les parents doivent coucher leur bébé avant qu'il s'endorme ; or, dès que nous mettions Amélie dans son lit, elle hurlait. Invariablement nous la prenions dans nos bras jusqu'à ce qu'elle finisse par s'endormir. Nous savions que nous le regretterions plus tard mais nous n'avions pas d'autre choix.

Vers 3 mois, les coliques ont été de moins en moins fréquentes mais Amélie avait du mal à s'endormir et elle se réveillait plusieurs fois au cours de la nuit. Lorsque les crises ont totalement disparu, nous avons décidé de mettre en place un rituel et d'apprendre à notre fille à s'endormir seule. Après le bain, nous lui racontions une histoire et lui faisions des câlins mais nous la couchions toujours avant qu'elle s'endorme.

Au début, nous sommes restés près d'elle car Amélie protestait vivement mais, rapidement, elle n'a plus eu besoin de notre présence à ses côtés pour s'endormir. Elle continuait à se réveiller la nuit mais il suffisait que nous la caressions pour qu'elle se rendorme.

Aujourd'hui, notre petite fille s'endort toute seule et se réveille exceptionnellement la nuit. Conclusion, c'est un bébé bien reposé et jovial. La période de coliques n'est plus qu'un mauvais souvenir.

Les reflux gastro-œsophagiens

Ce problème, que l'on appelle souvent « régurgitation », est de plus en plus pris au sérieux par les professionnels de la santé publique qui prescrivent aux nourrissons des traitements appropriés. Les reflux gastro-œsophagiens touchent plus particulièrement les bébés de 0 à 6 mois et disparaissent en général spontanément. Un nourrisson qui souffre de reflux gastro-œsophagiens n'aura pas, en général, de problèmes digestifs plus tard.

On parle de « reflux » lorsque les aliments contenus dans l'estomac repassent dans l'œsophage. Ce trouble, souvent dû à la maturation inachevée du tube digestif et, plus précisément, à la béance du sphincter (entre l'estomac et l'œsophage), entraîne des régurgitations, des vomissements et des brûlures d'estomac provoquées par l'acidité des aliments. La maturation du sphincter – naturelle ou accélérée par un traitement médicamenteux – explique la disparition des troubles. Sachez, cependant, que les reflux gastro-œsophagiens peuvent durer un an voire plus.

Les reflux qui s'accompagnent de rejets et non de vomissements sont souvent confondus avec les coliques du nourrisson. En effet, les symptômes sont les mêmes et apparaissent également entre la 2e et la 4e semaine qui suivent la naissance. Si les reflux gastro-œsophagiens sont plus graves que les coliques, des médicaments permettent de les soulager.

Signes et symptômes

- Diminution de l'appétit : certains bébés refusent même de s'alimenter car, après la tétée, la douleur est particulièrement vive.
- Prise de poids faible, du fait d'une diminution de l'appétit.
- Vomissements et régurgitations (très inquiétant et démoralisant pour les parents, notamment si l'enfant a du mal à s'alimenter).
- Le bébé pleure, replie ses genoux sur son ventre et se tend comme un arc après chaque tétée.
- Toux.
- Le bébé a du mal à s'endormir.

Si vous craignez que votre bébé souffre de reflux gastro-œsophagiens, demandez un avis médical. Si aucun médicament ne permet à ce jour de guérir les reflux gastro-œsophagiens, ils soulagent considérablement le bébé qui, de ce fait, dort et s'alimente mieux.

Votre pédiatre ou votre médecin traitant vous recommanderont probablement d'épaissir les biberons ou de contrôler la production d'acide dans l'estomac. Si une allergie au lait de vache est soupçonnée, vous devrez opter pour un lait maternisé spécifique. Outre les médicaments, certaines mesures simples peuvent soulager votre enfant.

Conseils d'amie

Soulager les reflux gastro-œsophagiens

1. Veillez à ce que votre bébé garde le dos droit durant toute la tétée et dans l'heure qui suit.
2. Ne pressez pas votre bébé mais respectez son rythme. Certains bébés préfèrent manger moins mais plus souvent.
3. Ne privez pas votre enfant de son doudou et ne l'empêchez pas de sucer son pouce. La succion atténue parfois la douleur.
4. Couchez-le en position inclinée en surélevant son matelas (glissez un oreiller dessous, mais ne mettez surtout pas d'oreiller sous la tête du bébé) afin que sa poitrine et son ventre soient plus hauts que ses pieds et que les aliments contenus dans l'estomac ne remontent pas.
5. Être allongé à plat accentue la douleur et favorise les régurgitations. Veillez également à ce que votre enfant soit en position inclinée dans son landau lorsque vous l'emmenez en promenade.
6. Faites-en autant lorsque vous l'installez dans son transat.
7. Achetez un porte-bébé dans lequel vous installerez votre bébé. Le dos parfaitement droit, il est blotti tout contre vous, ce qui le rassure. Par ailleurs, avoir un bébé dans un porte-bébé est, à la longue, moins fatigant que de le tenir dans ses bras.
8. Acceptez l'aide que vous proposent vos amis ou les membres de votre famille. S'occuper d'un enfant qui régurgite à longueur de journée est démoralisant et épuisant pour les nerfs.
9. Lorsque votre enfant commence à manger des aliments solides, demandez conseil à votre médecin, à votre pédiatre ou à un diététicien. Évitez tous les aliments acides et sachez qu'en règle générale les reflux gastro-œsophagiens diminuent puis disparaissent lorsque l'enfant n'est plus exclusivement nourri avec du lait.
10. Ne vous laissez pas abattre. Dès que votre enfant sera un peu plus grand, les reflux ne seront plus qu'un mauvais souvenir.

Incidences des reflux gastro-œsophagiens sur le sommeil

Un enfant qui souffre de coliques ou de reflux gastro-œsophagiens ne doit être couché que lorsque la crise est passée, les vomissements et les pleurs ayant cessé. Si les reflux disparaissent moins rapidement que les coliques, les symptômes peuvent – dans une certaine mesure – être atténués grâce à un traitement médicamenteux spécifique et à quelques précautions simples (position, alimentation). Pour que votre enfant ait un sommeil de qualité, suivez à la lettre les recommandations de votre médecin généraliste, de votre pédiatre ou de votre diététicien.

Le fait que votre enfant souffre de reflux ne doit pas vous empêcher de mettre en place un rituel au coucher. Privilégiez un environnement calme et confortable et un lit douillet propices au sommeil. Ne couchez pas votre enfant immédiatement après la tétée et tenez compte du temps nécessaire pour que le médicament administré agisse. Il est fort probable que vous soyez obligé soit d'avancer soit de repousser l'heure du coucher et qu'il faille consacrer plus de temps au rituel au risque de désorganiser quelque peu la vie familiale.

Lorsque Inès a eu 16 semaines, le pédiatre nous a dit que notre petite fille souffrait d'un reflux gastro-œsophagien. Jusqu'à ce jour, les médecins que nous avions consultés avaient tous affirmé qu'Inès souffrait de coliques et qu'avec le temps, tout rentrerait naturellement dans l'ordre. Mais malgré les mois qui passaient, la situation ne s'améliorait pas et nous avons été soulagés lorsque le pédiatre nous a expliqué pourquoi Inès était aussi agitée. Notre petite fille régurgitait mais ne vomissait pas vraiment, ce qui expliquait pourquoi les médecins s'étaient trompés dans leur diagnostic. J'étais très inquiète car la courbe de poids d'Inès était inférieure à la moyenne. Elle ne voulait pas téter et donnait l'impression de détester le lait. Dès que le diagnostic a été établi et qu'un traitement a été mis en place, j'ai immédiatement noté une amélioration. Inès était plus détendue et plus joyeuse. Le pédiatre nous a conseillé de la coucher en position inclinée et de toujours veiller à ce qu'elle ait le dos droit lorsqu'elle était assise ou dans nos bras.

Très rapidement, cela a eu une incidence bénéfique sur le sommeil de notre fille et sur la vie de la famille en général. Inès mangeait mieux dans la journée et mon mari et moi ne passions plus nos soirées à arpenter la maison en la berçant. J'encourage vivement tous les parents dont les enfants pleurent et ont du mal à se nourrir à demander un avis médical. Je regrette vraiment que pour notre fille le diagnostic n'ait pas été établi plus tôt.

Une fois le traitement adéquat mis en place, couchez votre bébé avant qu'il s'endorme. S'il se réveille la nuit pour téter, maintenez-le le dos droit puis recouchez-le en veillant à ce que son corps soit légèrement incliné. Donnez-lui son doudou s'il le réclame. Plus vite votre enfant apprendra à s'endormir sans que vous soyez à ses côtés, mieux ce sera pour lui mais aussi pour le reste de la famille.

Les enfants qui se tapent la tête contre leur lit

Nombre de bébés se tapent la tête contre leur lit avant de s'endormir. Bien que fort préoccupante, cette attitude est très rarement le signe d'un trouble émotionnel. Ces mouvements réguliers ont le même effet bénéfique sur le bébé que le fait d'être bercé dans les bras ou dans un landau. Entre 2 et 4 ans, les enfants cessent d'eux-mêmes de se taper la tête.

Lors d'une poussée dentaire, il est fréquent que les enfants se tapent la tête dans leur lit – peut-être parce que cela leur permet d'oublier la douleur. Il en va de même pour les enfants qui ont une otite.

Ce n'est pas parce que le fait de se taper la tête est souvent observé chez les enfants souffrant d'une déficience sensorielle, notamment visuelle, ou auditive ou de troubles du développement comme l'autisme que vous devez craindre le pire. En effet, nombre d'enfants parfaitement sains de corps et d'esprit se tapent la tête plus ou moins couramment.

Comme nous l'avons vu, les enfants établissent très vite les relations de cause à effet. Si votre bébé sait que dès qu'il se tape la tête, vous le prenez dans vos bras ou vous l'emmenez dans votre lit, il ne se privera pas de le faire.

Quoi qu'il en soit, vous devez avoir conscience qu'il ne s'agit pas là d'une manipulation mais tout simplement d'un comportement acquis dans une situation donnée.

Étude de cas

Jeanne, 22 mois se tape la tête dans son lit

Depuis la naissance de son petit frère, Jeanne fait partie du clan des grandes sœurs. Elle vit avec sa mère, Jacinthe, qui ne travaille plus depuis la naissance de son second enfant, et son père, Patrick. Toute petite, Jeanne avait un appétit d'oiseau mais, ceci mis à part, elle n'a jusqu'à ce jour posé aucun problème à ses parents. C'est une petite fille intelligente, gaie et vive. Depuis la naissance de Paul, Jeanne va tous les matins chez une assistante maternelle. Ses parents sont très à l'écoute de leur fille et sont parfaitement conscients, ainsi que l'assistante maternelle, que l'arrivée d'un petit frère est un événement qui peut réellement perturber une enfant de 22 mois.

Le problème

Depuis quelque temps, Jeanne se tape la tête contre son lit juste avant de s'endormir. Ses parents très inquiets – d'une part, parce que ce comportement est apparu du jour au lendemain et, d'autre part, parce qu'ils ont peur que Jeanne se fasse mal – ont consulté un pédiatre. Celui-ci les a rassurés en leur disant qu'il était extrêmement rare que des enfants aussi petits se blessent et qu'il fallait impérativement poursuivre le rituel mis en place au coucher. Jacinthe et Patrick ont suivi son conseil mais un soir, Jeanne s'est tapé la tête avec une telle violence qu'elle a eu des bosses et des ecchymoses. Très inquiète, Jacinthe a immédiatement pris rendez-vous avec le pédiatre qui lui a dit que les blessures étaient heureusement superficielles.

Il fallait à tout prix que cette situation cesse. Jacinthe et Patrick ont décidé que l'un d'eux resterait auprès de Jeanne jusqu'à ce qu'elle s'endorme dans son lit ou qu'au pire ils la prendraient avec eux dans leur lit. Toutes les nuits Jeanne se réveillait et se tapait la tête contre les barreaux de son lit. Invariablement, Jacinthe ou Patrick accourait et l'emmenait dans leur lit.

La solution

Très inquiets, Jacinthe et Patrick ont décidé de consulter un spécialiste des troubles du comportement. Or les techniques proposées mettent souvent en valeur les attitudes positives et passent sous silence tout comportement indésirable, ce qui n'était absolument pas envisageable dans le cas de Jeanne. La meilleure solution était, semblait-il, de mettre en place une stratégie afin de dissuader Jeanne de se taper la tête.

Le plan d'action

Conseils donnés aux parents de Jeanne

- Recouvrez les barreaux du lit de votre fille afin qu'elle ne risque plus de se blesser.
- Après le bain, lisez une histoire à Jeanne puis couchez-la. Éteignez les lumières afin que la chambre soit dans l'obscurité complète.
- Après avoir souhaité une bonne nuit à votre petite fille, quittez

la chambre puis écoutez sans faire le moindre bruit ce que fait Jeanne.

- Si la petite fille commence à se taper la tête, la meilleure solution est que le père prenne les choses en main : qu'il prenne Jeanne sans lui parler et qu'il la pose sur le sol.
- Restez près d'elle sans lui parler et sans lui faire de câlins. Si Jeanne fait mine de se taper la tête par terre, dites-lui « non » d'une voix ferme et maintenez-la en position assise. Attendez quelques minutes puis recouchez-la.
- Si Jeanne recommence à se taper la tête, levez-la à nouveau, asseyez-la sur le sol puis recouchez-la au bout de cinq minutes. La chambre étant dans l'obscurité la plus totale, pas question pour elle de jouer.
- Le même scénario risque de se reproduire. Il est impératif que vous restiez calme et attendiez patiemment que votre petite fille finisse par s'endormir.
- Voyant que ni vous ni votre femme n'accourez plus pour lui faire un câlin ou l'emmener dans votre lit, Jeanne finira par comprendre que se taper la tête n'était pas une bonne idée.

Le résultat

Il a été décidé d'un commun accord que Patrick prendrait les choses en main car Jacinthe savait qu'elle n'aurait pas le courage d'être aussi ferme envers sa fille. Au bout de deux jours, Jeanne a compris qu'être allongée dans son lit était nettement plus confortable qu'être assise sur le sol. Elle a donc cessé de se taper la tête contre les barreaux.

Conclusion

S'il est rare qu'un enfant se blesse en se tapant la tête, on comprend aisément que ce comportement puisse perturber les parents, notamment s'il apparaît en même temps qu'un changement au sein de la famille (naissance d'un petit frère ou d'une petite sœur, reprise du travail par la mère et garde confiée à une nourrice). Pour que la situation cesse, il est impératif que les parents ne minimisent pas le fait et se montrent intransigeants. Les parents et la nourrice de Jeanne n'ont pas pris l'attitude de la petite fille à la légère et ils ont fait ce qu'il fallait pour que la situation change. Pour s'endormir Jeanne a toujours besoin de faire des mouvements rythmés mais aujourd'hui elle se contente de chanter et de remuer les jambes.

Les vomissements

Les enfants de moins de 3 ans sont souvent sujets aux vomissements, notamment lorsqu'ils pleurent ou toussent. Toutefois, certains sont plus fragiles que d'autres et vomissent dès que leurs parents les laissent seuls dans leur lit.

Les vomissements peuvent avoir de nombreuses causes : troubles digestifs, intolérance ou allergie alimentaires, reflux gastro-œsophagiens, asthme, otite ou fièvre. Mais ceux qui ne se produisent que si l'enfant est seul dans son lit sont un moyen pour lui de montrer sa crainte de rester seul.

Karen n'a jamais eu de gros problèmes de santé mais, la première fois que nous l'avons laissée pleurer seule dans son lit, elle a tellement vomi que nous avons énormément culpabilisé et que nous nous sommes promis que cette situation ne se reproduirait plus jamais.

En règle générale, lorsqu'un enfant vomit dans son lit, ses parents le lèvent, le lavent et changent ses vêtements puis ils le réconfortent, le nourrissent et attendent qu'il soit endormi pour le recoucher. Si cette attitude est compréhensible, l'enfant associe rapidement les vomissements au plaisir d'avoir un câlin et de s'endormir dans les bras de papa ou de maman.

Si votre enfant vomit lorsque vous le laissez seul le soir ou lorsqu'il se réveille en pleine nuit et qu'il n'est pas malade, je vous encourage vivement à suivre les conseils suivants. Lavez-le, mettez-lui un pyjama propre, changez les draps, recouchez-le sans le faire téter et restez près de lui jusqu'à ce qu'il s'endorme. Agir différemment notamment avec un enfant de plus de 6 mois peut être lourd de conséquences.

Étude de cas

Magali, 13 mois, vomit dès qu'elle se retrouve seule dans son lit

Le problème

Magali est le premier enfant d'Isabelle et d'Anthony. Elle a sa propre chambre. Jusqu'à l'âge de 8 mois, la petite fille s'est toujours endormie au sein. Isabelle ayant repris son activité professionnelle, Magali est passée au biberon. Après la tétée du soir, Isabelle s'allonge dans le lit de la petite fille et lui fait un câlin jusqu'à ce qu'elle s'endorme.

Invariablement, Magali se réveille quelques heures plus tard en pleurant et Isabelle la rejoint dans son lit.

Isabelle et Anthony savent pertinemment que cette situation ne peut pas durer, mais que faire ? Ils ont bien essayé de laisser Magali pleurer mais chaque fois la petite fille vomit. Persuadés que les vomissements sont dus à un trouble émotionnel car le médecin qu'ils ont consulté n'a constaté aucun trouble pouvant expliquer les vomissements, Isabelle et Anthony se sont promis de ne plus jamais laisser leur bébé pleurer.

La solution

Isabelle et Anthony doivent comprendre que, si Magali vomit, c'est uniquement parce qu'elle sait que sa maman va accourir, s'occuper d'elle et lui faire un câlin. Ils doivent apprendre à leur petite fille à s'endormir seule.

Isabelle et Anthony doivent s'attendre à ce que Magali vomisse mais, s'ils restent calmes et font preuve de patience, la situation finira par s'arranger.

Le plan d'action

Conseils donnés aux parents de Magali

- Donnez du lait à Magali au cours du repas du soir (environ 120 ml).
- Avant le bain, laissez-la jouer une petite demi-heure.
- Après le bain, emmenez-la directement dans sa chambre et donnez-lui un biberon d'environ 60 ml de lait.
- Après la tétée, que l'un de vous lui lise une ou plusieurs histoires (la séance de lecture doit toujours se terminer avec la même histoire).
- Si Magali montre qu'elle n'apprécie pas ce nouveau rituel, restez fermes et faites preuve d'humour.
- Il est important que Magali ait toujours les mêmes repères – chansons, phrases, etc. – afin qu'elle se sente en sécurité.

Les 3 premières nuits

- Une fois la séance de lecture terminée, souhaitez une bonne nuit à Magali puis couchez-la. Que l'un de vous reste près d'elle jusqu'à ce qu'elle s'endorme. Si elle pleure, caressez-la mais ne la prenez pas dans vos bras. Il est possible que Magali se lève dans son lit. Dites-lui de se recoucher et félicitez-la si elle vous obéit.

Si Magali vomit :

- Un seul d'entre vous doit intervenir.
- Si cela n'est pas indispensable, ne lui donnez pas un bain mais nettoyez-lui uniquement les mains, le visage et les cheveux puis changez les draps.
- Faites-lui boire un peu d'eau mais pas de lait.
- Laissez les lumières taminées ou n'allumez que dans le couloir.
- Recouchez Magali, asseyez-vous sur une chaise à ses côtés et attendez qu'elle se rendorme.
- Magali ne vomit pas parce qu'elle est malade mais parce qu'elle ne supporte pas d'être seule dans son lit. Il est fort probable que vous soyez plus perturbés qu'elle par la situation. Dédramatisez la situation.
- Couchez-vous dès que Magali dort. Les prochaines nuits risquent d'être perturbées. Reposez-vous dès que cela est possible.
- Si Magali vous appelle ou pleure, allez près d'elle, asseyez-vous sur une chaise à côté de son lit et attendez qu'elle se rendorme. Ne vous énervez pas mais ne cédez pas si elle vous tend les bras.

Les 4e et 5e nuits

- Magali ne s'attend plus à ce qu'Isabelle se couche près d'elle. Elle sait que, même si elle vomit, vous ne lui donnerez pas un autre biberon et que vous la coucherez dès que vous l'aurez nettoyée et que son lit sera propre. Vous devez maintenant lui apprendre à s'endormir sans votre présence dans sa chambre.
- Couchez-la et rangez la chambre. Si Magali pleure, revenez près d'elle mais ne la touchez pas. Votre présence à ses côtés doit suffire à la rassurer.
- Si elle se réveille au milieu de la nuit, allez voir ce qui se passe. Asseyez-vous près de son lit mais ne la touchez pas.

À partir de la 6e nuit

- Respectez scrupuleusement le rituel du coucher. Après avoir couché Magali, rangez sa chambre, sortez de la pièce quelques secondes puis revenez même si votre petite fille ne pleure pas. Il est, en effet, important qu'elle sente votre présence.
- Si elle vomit, nettoyez-la, changez les draps et surtout n'en faites pas un drame.
- Au fil des jours, procédez de la même manière mais, après avoir quitté la chambre de Magali, attendez de plus en plus longtemps avant d'y revenir. Il est probable que votre petite fille montre son désaccord mais elle devrait peu à peu réussir à s'endormir sans passer par la « phase vomissements ».

- Par ailleurs, dès qu'elle saura s'endormir le soir sans votre présence à ses côtés, elle aura moins de mal à retrouver son sommeil si elle se réveille au cours de la nuit.

Le résultat

- La première nuit, Magali a vomi deux fois avant de s'endormir et une fois au milieu de la nuit. Isabelle et Anthony ont eu du mal à supporter les pleurs et les vomissements mais ils ont tenu bon, sachant que Magali n'était pas malade et qu'elle n'avait aucune raison de se sentir abandonnée dans la mesure où ils étaient là pour la réconforter.
- La 2e nuit, Magali a pleuré mais elle n'a pas vomi, ce qui a fait dire à Isabelle et Anthony qu'ils avaient choisi la bonne solution. Il a fallu deux semaines pour que Magali s'endorme seule sans pleurer le soir et, dès que ce cap a été franchi, elle ne s'est plus réveillée la nuit.

Conclusion

Pour les enfants qui vomissent lorsqu'ils se retrouvent seuls dans leur lit, les choses rentrent vite dans l'ordre dès lors que leurs parents restent calmes et surtout ne dramatisent pas.

Conseils d'amie

Comment agir lorsque votre enfant vomit dans son lit

- Ne paniquez pas sous peine de l'inquiéter.
- Que l'un de vous fasse sa toilette et change les draps.
- Veillez à ce que la pièce soit dans la pénombre et parlez calmement.
- Laissez votre enfant dans sa chambre.
- Donnez-lui un peu d'eau mais surtout pas de lait.
- Recouchez-le le plus vite possible.
- Dites-vous qu'il n'est pas malade. Les vomissements correspondent seulement à une manifestation de ne pas vouloir rester tout seul.

Chez certains enfants, les vomissements sont tels qu'une déshydratation est à craindre. Si votre enfant vomit plus de quatre ou cinq fois lorsqu'il est seul, suivez les conseils ci-dessous :

1. Consultez un médecin généraliste ou un pédiatre afin d'éliminer tout risque de maladie.

2. Ne soyez pas pressés. Il est possible qu'il faille plus de temps à votre enfant pour accepter de s'endormir sans votre présence que dans l'étude de cas ci-dessus.
3. Ne paniquez pas. Même si les vomissements sont impressionnants et vous inquiètent, restez sereins.

L'eczéma

Le type d'eczéma le plus courant chez les jeunes enfants est l'eczéma ou dermite séborrhéique. Chez les nourrissons, les spécialistes parlent souvent de « chapeau » car des plaques grasses, jaunâtres et squameuses apparaissent sur le cuir chevelu, et peuvent s'étendre jusqu'aux sourcils et aux autres parties du visage. Si leur aspect est peu agréable, les plaques s'accompagnent rarement de démangeaisons et régressent pour finir par disparaître au bout de quelques mois. L'eczéma séborrhéique n'entraîne pratiquement jamais de troubles du sommeil.

Il existe une autre forme d'eczéma, appelée « eczéma atopique ». Cet eczéma chronique, qui se caractérise par des démangeaisons et des plaques cutanées rouges, est la manifestation d'une réaction allergique à un aliment ou à une substance présente dans l'environnement. L'eczéma atopique est plus fréquent chez les nourrissons que chez les adultes. En général, il se déclare après les 3 mois de l'enfant et avant ses 2 ans. Les éruptions deviennent de moins en moins fréquentes au fil du temps et finissent par disparaître.

Il est fréquent que, lors d'une crise, le sommeil de l'enfant soit perturbé. En effet, les plaques démangent et l'enfant a tendance à se gratter. Or, plus il se gratte, plus la peau est irritée. Désarmés, les parents ne savent pas quoi inventer pour détourner l'attention de leur enfant lorsqu'il se réveille et l'empêcher de se gratter.

Il n'existe pas de traitement curatif pour l'eczéma. Toutefois, certaines mesures permettent de minimiser les effets de cette maladie malheureusement trop fréquente.

Conseils d'amie

Aider un enfant souffrant d'eczéma à mieux dormir

- Privilégiez les vêtements et les draps en coton.
- Lavez votre linge avec une lessive sans phosphates et n'utilisez pas d'adoucissant. Lavez les vêtements et les draps de votre enfant à la machine et faites un rinçage supplémentaire à la fin du cycle.

- Sauf avis médical contraire, baignez votre enfant tous les soirs en veillant à ce que l'eau ne soit pas trop chaude (36 °C) et en utilisant un savon surgras.
- Tamponnez la peau de votre enfant avec une serviette sans frotter et appliquez une pommade apaisante sur la peau.
- Veillez à ce que la température dans la chambre ne soit pas supérieure à 19 °C.
- Aérez la chambre et passez l'aspirateur une fois par jour. Enlevez tout ce qui est susceptible d'emprisonner la poussière (moquette, rideaux, tapis, coussins, etc.).
- Achetez un matelas hypoallergénique.
- Mettez des moufles en coton à votre bébé et coupez ses ongles le plus court possible afin qu'il ne s'écorche pas en se grattant.

Les vraies pathologies

Le plus difficile avec un enfant souffrant d'une pathologie lourde est de savoir s'il dort mal la nuit du fait de sa maladie, de la douleur ou de la gène occasionnées – ce dont sont persuadés nombre de parents – ou simplement parce que se réveiller est devenu une habitude. Si vous avez l'impression que votre bébé manque de sommeil et que sa santé en pâtit, les raisons doivent être rapidement identifiées. De votre côté, reposez-vous au maximum afin de gérer au mieux la situation et d'avoir l'énergie nécessaire pour répondre aux besoins de votre enfant. Comme nous l'avons vu précédemment, apprendre à un enfant à s'endormir seul n'est pas nécessairement difficile et les chances de réussir sont d'autant plus importantes que la raison pour laquelle son sommeil est perturbé est identifiée et prise en compte.

La douleur

Certains bébés souffrent de douleurs chroniques dues à une maladie ou à un traitement spécifique. La douleur ne doit jamais être minimisée et toutes les options susceptibles de la diminuer, voire de la supprimer, doivent être passées en revue avec un médecin généraliste ou un spécialiste (ne soyez pas opposé à la prise de médicaments si cela est nécessaire). Les massages, manipulations, bains chauds, autres thérapies et médecines alternatives sont souvent très utiles dans le traitement de la douleur. Renseignez-vous et n'ayez pas d'idée préconçue.

Ce n'est que lorsque vous êtes sûr que la douleur est sous contrôle que vous pouvez envisager d'apprendre à votre enfant à s'endormir seul. Précisons que plus le sommeil d'un enfant est calme et profond, moins il risque de se réveiller à cause d'une douleur minime.

Une fois encore, le plus critique est d'apprendre à un enfant à s'endormir au début de la nuit. C'est après un bon bain, un médicament – sur prescription médicale uniquement – et un biberon (ou le sein) que les conditions sont les plus favorables. Il est toutefois difficile d'agir avec un enfant malade de la même manière qu'avec un enfant en parfaite santé car faire la différence entre les pleurs dus à la douleur et les pleurs dus au refus de se retrouver seul n'est pas facile. C'est notamment pour cette raison qu'avec un enfant malade l'apprentissage est souvent plus long qu'avec un enfant en parfaite santé.

Les problèmes respiratoires

Certaines pathologies s'accompagnent de troubles respiratoires, notamment la nuit lorsque l'enfant est couché sur le dos. Tousser perturbe également le sommeil. C'est pourquoi il est vivement conseillé d'opter pour tout traitement – médicamenteux ou autre – susceptible de dégager les voies respiratoires et calmer la toux. Certains médicaments ont un effet stimulant, ce qui explique qu'un enfant soit agité la nuit. Demandez à votre médecin de préciser tous les effets secondaires possibles.

Si votre enfant a du mal à respirer ou a tendance à tousser la nuit, lisez attentivement l'encadré ci-dessous.

Conseils d'amie

Aider votre bébé à mieux respirer la nuit

- Il est impératif que personne ne fume en présence de votre enfant, que ce soit durant la journée ou la nuit. Interdisez à toute personne de fumer chez vous-même si elle se trouve au rez-de-chaussée et que votre enfant est au premier étage.
- Surélevez la tête du lit en glissant un oreiller sous le matelas.
- Installez un saturateur dans sa chambre ou mettez un bol d'eau bouillante dans la pièce quelques minutes avant de le coucher.
- Si votre enfant a plus de 3 mois et en accord avec votre médecin, placez un mouchoir imbibé de menthol ou d'essence d'eucalyptus près de son lit ou faites bouillir de l'eau

avec quelques gouttes d'huile essentielle dans un récipient que vous mettrez ensuite dans la chambre.

- Faites bouillir de l'eau puis laissez-la refroidir afin de la lui faire boire s'il se réveille en toussant.

Un enfant qui s'endort seul le soir a moins de mal à se rendormir si une quinte de toux le réveille en pleine nuit. Si votre enfant tousse beaucoup ou s'il a le nez bouché, il se réveillera et vous réveillera plusieurs fois la nuit et tous deux serez rapidement épuisés. Il ne doit en aucun cas se rendormir dans vos bras mais dans son lit.

Une mobilité réduite

Une mobilité réduite peut expliquer qu'un enfant ait du mal à dormir hormis si le handicap est de naissance. En effet, les enfants ont une capacité d'adaptation exceptionnelle.

La situation est en général plus difficile pour les enfants dont la mobilité est entravée du jour au lendemain, par exemple à la suite d'une fracture ou d'un traitement orthopédique (plâtre ou attelle) qui souvent s'accompagnent de douleur et/ou de démangeaisons.

Sachez qu'un traitement adapté – médicaments, massages ou d'autres techniques thérapeutiques – peut considérablement améliorer la situation. Il est essentiel de soulager la douleur ou tout désagrément avant que votre enfant s'endorme. En effet, un enfant qui s'endort alors qu'il a mal a tendance à se réveiller dans les heures qui suivent et à avoir des difficultés à se rendormir seul. Or pas question de le prendre dans les bras jusqu'à ce qu'il se rendorme sous peine que cela devienne rapidement une habitude.

Les hospitalisations

Lorsqu'un enfant est hospitalisé, son sommeil est généralement très perturbé. La lumière allumée en pleine nuit, la surveillance médicale, l'administration de médicaments et d'autres soins expliquent que l'enfant n'a plus la notion de jour et de nuit.

Le rituel mis en place à la maison et la disparition des repères environnementaux agissent également sur le sommeil.

Si votre enfant est hospitalisé et que vous restez à ses côtés, certaines mesures lui seront d'un grand secours et vous faciliteront considérablement la vie. Emportez des objets familiers, notamment ceux avec lesquels votre enfant a l'habitude de dormir : peluches, doudou, mobile suspendu, etc. Respectez au mieux le rituel du soir : bain et éléments déclencheurs de sommeil y compris les chansons et les histoires.

N'oubliez pas qu'un enfant – aussi petit soit-il – comprend que les règles à l'hôpital ne sont pas les mêmes que les règles mises en place à la maison. Ne vous inquiétez pas outre mesure si votre enfant a du mal à s'endormir à l'hôpital alors que tout s'est toujours bien passé à la maison. Il y a de fortes chances qu'il retrouve ses bonnes habitudes dès qu'il sera à nouveau dans son environnement habituel.

Les troubles physiques ou moteurs

Face à un enfant atteint d'un handicap physique ou mental, les adultes ne savent pas toujours comment agir. Cela est d'autant plus vrai lorsque l'enfant dort mal. En effet, comment savoir s'il se réveille parce qu'il souffre de troubles neurologiques ou parce qu'il en a pris l'habitude ? Jusqu'à 2 ans, il est difficile de faire la part des choses, même s'il est prouvé que certains syndromes ou maladies, notamment les troubles de la vision, ont un impact négatif sur le sommeil. Ne tirez pas de conclusions trop hâtives et ne capitulez pas sous prétexte que c'est parce qu'il est malade que votre enfant a un sommeil perturbé.

Les rituels sont bénéfiques à tous les enfants y compris aux enfants souffrant de troubles physiques ou moteurs. Veillez à respecter scrupuleusement les différentes étapes qui précèdent l'heure du coucher et à stimuler les différents sens de l'enfant - un geste, une phrase, un câlin étant autant d'éléments déclencheurs de sommeil.

Les enfants souffrant d'un trouble mental mettent plus de temps à intégrer un rituel. Pour accélérer le processus, n'hésitez pas à associer plusieurs éléments.

Solliciter les sens de votre enfant

- La vue : tamisez les lumières, répétez toujours les mêmes gestes à l'heure du bain, fermez les rideaux avant de coucher votre enfant, etc. Chacun de ces éléments deviendra rapidement un déclencheur de sommeil sauf pour les enfants atteints de cécité.
- L'ouïe : accompagnez chaque étape d'une même phrase ou d'une même chanson qui deviendront rapidement autant d'éléments déclencheurs de sommeil (sauf pour les enfants sourds).

- Le toucher : un bain chaud, un massage, la texture d'un pyjama ou un câlin sont autant d'éléments qui font comprendre à votre enfant que l'heure du coucher approche.
- L'odorat : le soir, utilisez toujours le même savon pour la toilette et les mêmes crèmes ou lotions pour les massages.
  Si possible, ayez recours à d'autres produits dans la journée. Depuis fort longtemps, la lavande est connue pour son effet apaisant.
- Le goût : un dentifrice, un médicament ou du lait chaud sont autant d'éléments déclencheurs de sommeil, notamment si vous les utilisez dans un ordre précis.

Apprendre à un enfant à s'endormir seul ne se fait pas du jour au lendemain et cela est d'autant plus vrai avec les enfants souffrant de troubles physiques ou mentaux. Essayez de rester calme et comportez-vous toujours de la même manière. En effet, tout ce qui est prévisible rassure. Ne soyez pas trop pressé de franchir une étape. Chaque chose en son temps.

Dès que vous êtes confronté à un problème, parlez-en à votre médecin ou à votre pédiatre. La qualité du sommeil a un impact considérable sur la croissance et le développement des enfants, qui plus est des enfants malades. Comme nous l'avons vu, il est possible qu'un médicament explique pourquoi votre enfant est agité le soir. Il suffit parfois d'en parler pour qu'une solution vous soit proposée et que vous soyez rassuré.

L'état de santé de certains enfants nécessite un suivi jour et nuit. Si tel est le cas de votre fils ou de votre fille, n'hésitez pas à vous faire aider : organismes spécialisés, familles, amis, bénévoles, etc. Pour répondre aux besoins de votre enfant et supporter le quotidien, vous devez être bien dans votre tête mais aussi dans votre corps. Il suffit d'être fatigué pour que le plus petit incident de parcours semble insurmontable.

Les troubles du sommeil chroniques frappent très rarement les enfants atteints de pathologies mentales hormis lorsqu'elles s'accompagnent de troubles physiques lourds.

Se préparer au changement

Dans ce chapitre,
vous apprendrez à :

- identifier pourquoi votre enfant dort mal ;
- vous fixer un but réalisable ;
- vous préparer à prendre les choses en main.

Quand et combien de temps votre enfant dort-il ?

Aider votre enfant à mieux dormir la nuit sous-entend mettre en place un certain nombre de changements ce qui, pour certains parents, peut sembler insurmontable. Votre enfant grandit et, au fil des semaines, il n'a plus les mêmes besoins. Le nombre de tétées diminue, il dort moins et passe plus de temps à jouer. Vos journées sont bien remplies et plus l'heure du coucher approche, plus vous avez envie de baisser les bras. Or, si les nuits sont difficiles mais que vous n'agissez pas, la situation ne peut qu'empirer. Concrètement, que se passe t-il ? Votre enfant a du mal à s'endormir le soir, il se réveille plusieurs fois au cours de la nuit en hurlant et il ne se rendort qu'au bout d'une heure ou deux. Vous n'avez donc rien à perdre, n'est-ce pas ? N'attendez pas et réagissez.

Chaque nuit, vous vous levez et essayez des heures durant de rendormir votre enfant. Pourquoi ne pas utiliser tout ce temps d'une manière plus positive ?

Avant d'entreprendre quoi que ce soit, notez les heures auxquelles vous couchez et levez votre enfant. Durant une semaine, faites le point afin de définir le plus précisément possible ses besoins et ses habitudes. Il est compréhensible qu'au beau milieu de la nuit vous manquiez de courage, néanmoins prenez une feuille et un stylo et notez sans attendre les différentes informations afin d'éviter toute source d'erreur. Si vous vous levez tous les deux, que chacun d'entre vous fasse son « rapport ».

Pourquoi noter ces informations

- Pour avoir une vision globale plus réaliste des besoins et des habitudes de votre enfant.
- Pour définir les heures auxquelles votre enfant a besoin de se reposer.
- Pour identifier une éventuelle relation entre l'alimentation, les activités pratiquées et le sommeil.
- Pour définir les conditions les plus propices au sommeil.
- Pour mettre en évidence les éléments déclencheurs de sommeil (s'il y en a).

Cette démarche suffit parfois à mettre fin aux inquiétudes des parents qui découvrent que, contrairement à ce qu'ils pensaient, leur enfant a son compte de sommeil et qu'il est parfaitement normal qu'au fil du temps le nombre et la durée des siestes diminuent.

Certains parents s'aperçoivent également que, si leur bébé a du mal à s'endormir le soir, c'est juste parce qu'il fait une sieste de plusieurs heures en fin d'après-midi.

Dans ce cas précis, la solution est toute trouvée : écourter la sieste ou faire en sorte qu'elle commence plus tôt.

Le fait de noter les heures auxquelles vous couchez et levez votre enfant et de procéder à quelques « réajustements » permet souvent de régler facilement un problème qui vous paraissait insurmontable.

Si vous ne devez pas perdre de vue les besoins de votre bébé, cela ne doit pas être au détriment des autres membres de la famille. Par exemple, si votre enfant dort parfaitement la nuit mais qu'il a du mal à faire la sieste, voyez comment résoudre ce problème sans que toute la famille en pâtisse.

Ci-dessous, à titre d'exemple, la trame d'un récapitulatif qui peut vous aider à mettre en lumière l'élément à l'origine du problème.

Exemple

Lever À quelle heure et où ?	Lundi 6h30 dans notre lit.
Matinée Alimentation. Quand ? La sieste : à quelle heure ? Durée ? Élément déclencheur de sommeil ? Réveil ?	 6h30 – le sein. 7h00 – un biscuit. Pas d'appétit. 8h30. S'endort au sein. Sieste de 45 minutes. Se réveille en pleurant. 11h00 – le sein. Somnole mais se met à pleurer dès que je le couche.
Après-midi Repas La sieste : à quelle heure ? Durée ? Élément déclencheur de sommeil ? Réveil ?	 12h30 : légumes et compote de poires - bon appétit. 14h00 dans sa poussette pendant 2 heures et demie. S'est réveillé bien reposé. Tétée au sein. 17h00 : patate douce et poulet + yaourt. Bon appétit.
Rituel du soir À quelle heure ? Durée ? Élément déclencheur de sommeil	 18h00 : bain. Tétée. S'est endormi au sein. Après s'être endormi, couché à 18h45. S'est réveillé en pleurant à 19h15. S'est rendormi au bout de 15 minutes.

La nuit	
Réveils.	23h00. Tétée au sein (5 min). S'est endormi. Idem à 1h. 2h30. Nous rejoint dans notre lit. Tétée. S'est endormi au sein. 3h45 puis 5h00. Idem. 6h15. Ne veut pas se rendormir. Lever.

De quel trouble du sommeil votre enfant souffre t-il ? Et pourquoi ?

Les faits étant écrits noir sur blanc, vous savez maintenant quel est le problème de votre enfant et vous avez peut-être même quelque idée quant à l'origine dudit problème. Comme nous l'avons vu précédemment, il y a toujours une raison qui explique pourquoi un enfant dort mal. Chez les nourrissons, c'est souvent parce que l'horloge biologique n'est pas encore bien réglée, d'où des sommes relativement courts et des tétées à intervalles réguliers, de jour comme de nuit.

Après 6 mois, les problèmes de sommeil sont souvent liés à des facteurs comportementaux ou environnementaux : poussées dentaires, maladies infantiles, etc.

Observez votre enfant et faites le point.

Soyez honnêtes et objectifs. Vous avez mis en place un rituel qui vous paraît parfaitement adapté aux besoins de votre enfant ; vous ne prenez jamais votre bébé avec vous dans votre lit ; vous ne lui avez jamais donné ni sucette, ni doudou, etc. Pourtant, les faits sont là : votre enfant dort mal. Pourquoi ? La tétée aux premières lueurs du jour ? Le fait de l'endormir en le berçant le soir ? De vous allonger près de lui lorsqu'il pleure la nuit ? Quel est donc cet élément qui explique que, depuis sa naissance, vous dormez en pointillé ? Vous êtes désarmé car vous aimez votre enfant et vous avez toujours essayé d'agir au mieux. Inutile de tergiverser. Il est temps de passer en revue – de manière critique – tous vos faits et gestes.

Une fois encore, tous les enfants sont différents. Certains ont besoin de faire le tour du cadran alors que d'autres récupèrent en quelques heures. Ces différences existent même au sein d'une fratrie et ce qui marchait avec votre aîné ne marche pas forcément avec le petit dernier. Chaque bébé a sa personnalité et, si votre fille de 2 ans ne s'est jamais réveillée la nuit bien que s'endormant systématiquement au sein le soir, le fait de s'endormir en tétant explique peut-être pourquoi son frère ne dort jamais plus de deux heures d'affilée.

Pour que la situation s'améliore, certaines choses doivent changer, ce qui ne veut pas dire que vous vous êtes trompés sur toute la ligne. Cela signifie tout simplement que, pour le moment, ce que vous avez mis en place ne convient pas à votre enfant.

Sachez par ailleurs que ce qui est bénéfique à un nourrisson peut perturber un enfant plus âgé. L'exemple le plus typique est de persister à donner la tétée la nuit à un enfant qui peut parfaitement s'en passer.

Le problème	Les raisons plausibles
Mon bébé refuse de s'endormir seul dans son berceau.	• Il dort trop ou pas assez dans la journée. • Il n'aime pas que vous le laissiez. • Il n'y a pas de véritable rituel mis en place. • Il a pris l'habitude de s'endormir dans vos bras, sa poussette ou votre lit.
Mon bébé se réveille la nuit.	• C'est normal. Ce qui ne l'est pas c'est qu'il n'arrive pas à se rendormir seul. • Il a trop chaud, trop froid ou est dans une mauvaise position. • Il a faim ou soif. • Il est inquiet car il ne se réveille pas là où il s'est endormi. • Il a besoin de téter ou d'être dans vos bras pour se rendormir. • Il a perdu sa tétine. • Il attend que vous le preniez dans votre lit.
Mon bébé se réveille aux aurores.	• Il y a trop de lumière dans la pièce ou trop de bruit dans la maison. • Il a du mal à se rendormir surtout lorsqu'il se réveille tôt. • Il a l'habitude de téter très tôt le matin.
Mon bébé réclame plusieurs fois la tétée la nuit.	• Il a faim ou soif. • Téter est pour lui un élément déclencheur de sommeil.
Mon bébé n'arrive pas à s'endormir à l'heure de la sieste.	• Il a pris de mauvaises habitudes. • Vous le couchez à une heure qui ne lui convient pas.

Se fixer un objectif

Une fois que vous avez identifié la vraie nature du problème, demandez-vous ce que signifie pour vous « bien dormir », tout en étant réaliste.

S'il est raisonnable d'espérer que votre bébé de 6 mois, qui ne présente aucun problème de santé, n'ait plus besoin de votre présence pour s'endormir le soir et dorme entre 11 et 12 heures d'affilée la nuit, espérer qu'il fasse la grasse matinée le dimanche matin est on ne peut plus utopique.

Il est primordial que votre objectif réponde à des critères précis et soit :

- *Spécifique* : clair et sans ambiguïté.
- *Quantifiable* : vous savez quand vous l'avez atteint.
- *Réalisable* : vous avez les moyens de l'atteindre.
- *Réaliste* : vous êtes capables de mener les choses à bien.
- *Limité dans le temps* : fixez-vous une date limite.

Ci-dessous quelques exemples pour vous aider à mieux comprendre à quoi correspond chacun de ces critères :

- *Spécifique* : je veux que mon enfant arrive à se passer de sa tétine pour dormir.
- *Quantifiable* : je saurai que j'ai atteint mon objectif lorsqu'il ne la cherchera plus la nuit.
- *Réalisable* : je serai suffisamment patient et décidé pour parvenir à mes fins et j'agirai en toute connaissance de cause.
- *Réaliste* : je sais que dormir avec une tétine est devenu une habitude que je peux lui faire perdre.
- *Limité dans le temps* : je commence ce week-end et je me donne une semaine pour atteindre mon objectif.

En vous basant sur tout ce que vous savez maintenant, vous trouverez certainement qu'écrire noir sur blanc le problème identifié et l'objectif que vous souhaitez atteindre est fort utile. Ci-dessous un exemple de ce que vous pouvez faire.

Le sommeil de ma petite fille	
Une nuit typique.	Elle met du temps à s'endormir au début de la nuit. Elle refuse de rester dans son lit et ne s'endort que lorsqu'elle est sur mon lit et que je suis allongé à ses côtés. Lorsqu'elle dort, je la mets dans son lit mais elle se réveille peu de temps après en hurlant. La seule manière de la consoler est de la reprendre avec moi. Le reste de la nuit, je dors mal car elle n'arrête pas de gigoter et de repousser les couvertures.
Les raisons pour lesquelles ma petite fille se réveille la nuit.	Le soir, elle ne s'endort que si je suis à ses côtés Lorsqu'elle se réveille la nuit, je suis obligé de la prendre avec moi dans mon lit pour qu'elle se rendorme.
Ce que je veux.	Qu'elle arrive à s'endormir dans son lit sans que ce soit un drame pour elle. Qu'elle passe toute la nuit dans son lit.
Pour ce faire, je dois.	Lui apprendre à s'endormir seule au début de la nuit. L'aider à comprendre qu'elle est en sécurité dans son lit et que c'est là qu'elle doit dormir. Ne plus la prendre dans mon lit lorsqu'elle se réveille en pleurant la nuit.
Je saurai que j'ai atteint mon but.	Quand elle s'endormira sans pleurer dans son lit. Quand elle fera des nuits complètes.

Patience et motivation

Vous avez défini la nature exacte du problème que rencontre votre enfant. Vous vous êtes fixé un objectif et vous savez à peu près comment l'atteindre. Cependant, vous êtes fatigué voire démoralisé car, malgré tous les efforts que vous avez faits à ce jour, la situation n'est pas telle que vous l'aviez imaginée.

Les circonstances étant ce qu'elles sont, difficile de trouver la motivation et la confiance en soi nécessaires pour faire changer les choses.

Les exercices ci-dessous peuvent, dans une certaine mesure, vous êtes utiles.

1. Citez trois points positifs auxquels vous êtes en droit de vous attendre si votre enfant dort mieux.
2. Citez trois objectifs que vous avez atteints par le passé.

Par exemple

Les trois points positifs auxquels je suis en droit de m'attendre si mon bébé dort mieux :

1. Il sera de meilleure humeur dans la journée.
2. Je pourrai enfin m'inscrire à un cours de yoga.
3. Mon conjoint et moi aurons plus de temps pour nous deux.

Les trois objectifs que j'ai atteints par le passé :

1. J'ai eu un bébé.
2. J'ai décoré la chambre d'amis.
3. J'ai arrêté de fumer.

Vous ne vous sentez pas encore prêt à vous attaquer au problème. Essayez de savoir ce qui vous empêche de faire le premier pas. Une fois de plus, une liste peut vous aider à y voir plus clair.

---

1. Entendre pleurer ma petite fille m'est insupportable.
   J'aime la sentir tout contre moi la nuit.
2. J'ai peur de ne pas avoir la force d'aller jusqu'au bout.
3. Le fait que ma fille dorme dans notre lit est un prétexte pour ne pas avoir de relations sexuelles avec mon/ma conjoint(e).

Lorsque vous aurez fait le point sur ce qui vous empêche de passer à l'action, à vous de décider de ce que vous voulez réellement faire et de la manière dont vous voulez procéder.

Quelle que soit votre décision – attendre encore un peu avant de mettre en place une stratégie ou laisser les choses telles quelles –, ce qui prime c'est que cette décision vienne de vous. En effet, avoir le sentiment que la situation échappe à votre contrôle ou vous dire que vous devriez prendre les choses en main peut vous perturber plus encore que le problème lui-même.

Si vous voulez vraiment que la situation évolue, préparez-vous à agir, mais auparavant définissez un plan d'action.

1. Si votre bébé dort dans votre lit, donnez-vous le temps d'accepter l'idée que cette situation ne va pas durer et que bientôt il passera toutes ses nuits dans son propre lit. En effet, même si vous êtes convaincu que c'est là la meilleure solution, vous éprouverez peut-être un certain regret à ne plus sentir votre bébé tout contre vous la nuit. Profitez des dernières nuits passées ensemble et essayez de gérer vos émotions. Même si vous avez hâte que votre enfant dorme dans son lit parce que vous savez que vous vous gênez l'un et l'autre, vous passer de sa présence à vos côtés vous semble peut-être inconcevable. Pourquoi ne pas envisager de le prendre dans votre lit pour lui faire un gros câlin le matin à son réveil ?
2. Il est important que les frères et sœurs soient préparés au changement que vous comptez mettre en place. En effet, il est fort probable que votre bébé n'apprécie pas cette nouvelle situation et manifeste son désaccord en pleurant. Inutile d'inquiéter ses aînés. Expliquez-leur que vous allez essayer d'apprendre à leur petit frère ou petite sœur à dormir seul(e) dans son lit. Afin de ne pas perturber le sommeil de vos autres enfants, vous déciderez peut-être de les faire dormir ailleurs – notamment si le dernier-né partage leur chambre. Une fois encore, expliquez-leur ce qui motive votre décision afin qu'ils n'aient pas le sentiment de passer après le benjamin de la famille. Restez à leur écoute et félicitez-les lorsqu'ils se comportent comme des « grands ».
3. Si vous habitez dans un immeuble ou une maison mitoyenne, prévenez vos voisins afin qu'ils ne soient pas surpris ou excédés par les hurlements de votre bébé. Ce serait dommage de tout abandonner parce que vos voisins râlent ou parce que vous avez peur de les déranger. Par ailleurs, si vous ne dites rien et que votre bébé hurle plusieurs heures d'affilée, vos voisins risquent de penser qu'il vous est arrivé quelque chose. Le comble serait de voir les pompiers ou les policiers frapper à votre porte !
4. Pour apprendre à votre enfant à dormir seul, choisissez le moment qui vous semble le plus propice. Évitez si possible la période la plus chargée au bureau ou les jours qui précèdent un départ en vacances. Mieux vaut remettre votre projet à plus tard qu'agir dans l'urgence et essuyer un échec. Même si l'un de vous est plus impliqué que l'autre, essayez d'être tous

deux disponibles. Si ni l'un ni l'autre ne travaille le week-end, l'idéal est de commencer un vendredi soir.

5. Se soutenir mutuellement est très important. Si vous décidez que c'est vous, la maman, qui serez responsable de l'apprentissage dans la mesure où vous êtes mère au foyer et que votre mari travaille à l'extérieur, vous risquez de culpabiliser si votre bébé hurle la nuit et empêche votre conjoint de dormir. Qu'il vous rassure et surtout qu'il se montre tolérant. Si besoin, faites chambre à part durant les premières nuits.
6. Si vous travaillez tous les deux, dites à votre supérieur et à vos collègues que les nuits risquent d'être difficiles et demandez-leur d'être compréhensifs et indulgents à votre égard. Il ne leur sera peut-être pas possible de diminuer votre charge de travail mais au moins qu'ils comprennent pourquoi vous êtes fatigués. Par ailleurs, partager votre expérience avec des personnes qui ont des enfants et sont dans la même situation que vous peut permettre de resserrer les liens existants et d'échanger des conseils avisés.
7. Plus important que tout, préparez-vous à subir les effets de la stratégie que vous allez mettre en place. Ne vous isolez pas mais parlez à vos amis, à vos collègues et aux membres de votre famille. Demandez à la marraine de votre bébé de l'emmener faire une promenade pendant que vous vous reposez. Si vous êtes exténué, vous n'arriverez pas à vos fins. C'est également pour cette raison qu'il faut vivement passer à l'action lorsque vous êtes au mieux de votre forme – physique et mentale. Si vous avez l'habitude de téléphoner ou de regarder la télévision le soir après que votre enfant est couché, essayez de trouver un autre créneau et couchez-vous le plus tôt possible. Même si vous ne dormez pas, votre corps est au repos et recharge ses batteries.

Contrôler la situation et aider son enfant à mieux dormir

Dans ce chapitre, vous apprendrez à :

- maîtriser la situation et à ne plus vous sentir démuni face à un enfant qui ne dort pas ;
- réfléchir au programme le mieux adapté aux besoins spécifiques de votre enfant ;
- choisir la méthode qui correspond aux besoins de votre enfant mais aussi à vos valeurs et à vos convictions de parents.

Vous avez identifié la (ou les) raison (s) pour laquelle (ou lesquelles) votre enfant a du mal à dormir, vous avez réfléchi à la solution qui vous semble la meilleure et vous êtes prêts à mettre en place les changements qui s'imposent. Conclusion : il ne vous reste plus qu'à passer à l'action.

Depuis plusieurs semaines voire plusieurs mois, vous avez l'impression de n'avoir aucun contrôle sur la situation mais de la subir. Coucher votre enfant pour la sieste ou le soir est devenu un véritable cauchemar. Vous êtes d'autant plus démoralisés que vous êtes plutôt organisés et que vous n'avez jamais eu de difficulté à gérer vos vies professionnelle et privée. Vous êtes quelque peu déconcertés par votre nouveau rôle. L'image que vous vous faisiez de la maternité et de la paternité n'a rien à voir avec la réalité et, au lieu du bébé souriant et calme dont vous avez toujours rêvé, vous êtes en présence d'un enfant agité qui hurle dès que vous faites mine de le coucher.

Ne désespérez pas ! Vous pouvez reprendre les choses en main. Votre enfant a besoin de dormir et la meilleure chose que vous puissiez faire pour lui est de l'y aider. Ce petit être si vulnérable dont la vie dépend de vous doit se sentir en sécurité. Fixer des limites et mettre en place un rituel sont autant d'éléments qui l'aideront à trouver ou retrouver un sommeil paisible et réparateur.

Réussir à apprendre à votre enfant à bien dormir ne peut que renforcer la confiance en vous et vous conforter dans votre rôle de parents.

Choisir la méthode la plus appropriée

Votre objectif est d'apprendre à votre enfant à s'endormir seul et à faire ses nuits. Cet apprentissage repose sur deux méthodes qui – si elles sont respectées à la lettre – vous permettront à coup sûr d'arriver à vos fins.

1. L*aisser bébé pleurer* : vous couchez votre enfant qui, immédiatement, se met à pleurer pour manifester son désaccord. Attendez avant d'intervenir. Si les pleurs perdurent, rassurez-le. Dès qu'il a retrouvé son calme, sortez la pièce quitte à revenir plus tard.
2. *Se passer progressivement de la présence des parents* : peu à peu, votre enfant doit apprendre à s'endormir sans votre présence à ses côtés.

Laisser bébé pleurer

Cette stratégie, qui peut être mise en pratique à partir de 6 mois chez les enfants en bonne santé, permet d'obtenir des résultats probants très rapidement.

Si votre enfant a moins de 6 mois, si sa santé est précaire et nécessite des soins spécifiques ou si vous ne supportez pas les cris et les pleurs, cette option n'est pas pour vous.

Se passer progressivement de la présence des parents

Cette stratégie s'adresse aux enfants de tous âges y compris aux tout-petits et aux enfants malades ou souffrant de troubles du comportement. Vivement recommandée aux parents qui ne supportent pas ou refusent d'entendre leur enfant hurler.

Si vous voulez rapidement parvenir à vos fins ou si vous n'avez aucunement l'intention de passer une partie de vos nuits assis sur une chaise près de votre enfant, mieux vaut chercher une autre option.

Les ouvrages proposant aux parents des solutions infaillibles pour aider leur enfant à trouver ou retrouver un sommeil de qualité ne manquent pas. Si chaque auteur propose sa propre recette, sachez que toutes ne sont en fait que des variantes de l'une ou l'autre des méthodes ci-dessus mentionnées. Une fois encore, chaque bébé étant unique, c'est à vous parents de trouver la stratégie qui vous semble la plus appropriée à ses besoins et à votre mode de vie. C'est également à vous de mettre en place le plan d'action adéquat.

Penser qu'il n'existe qu'une seule et unique méthode permettant de résoudre le problème de tous les enfants est utopique. Vous devez, tout d'abord, identifier la (ou les) cause(s) à l'origine du problème puis réfléchir à la stratégie correspondant à l'une ou l'autre des méthodes ci-dessus mentionnées et qui, à votre sens, a le plus de chances de réussir.

Exemple

Votre enfant a pris l'habitude de s'endormir en tétant le soir. Chaque nuit, il se réveille à intervalles réguliers et ne peut se rendormir que si vous lui donnez le biberon. Sur le plan nutritionnel, il n'a plus besoin de téter la nuit.

S'il ne peut se passer de son biberon, c'est uniquement parce que téter est pour lui un élément déclencheur de sommeil.

Préparez-vous au changement

Mettez en place un rituel reposant sur des éléments déclencheurs de sommeil autres que la tétée.

Donnez un biberon à votre enfant après le bain du soir mais surtout veillez à ce qu'il ne s'endorme pas en tétant.

Lisez-lui une histoire ou chantez-lui une berceuse en lui faisant un câlin puis couchez-le. Pour que votre enfant ne fasse plus l'association tétée-sommeil, il doit impérativement être éveillé lorsque vous le mettez dans son lit.

Choisissez celle des deux méthodes qui, à votre avis, a le plus de chances de réussir.

1. Laisser bébé pleurer

- *1re nuit :* couchez votre enfant, souhaitez-lui une bonne nuit puis quittez la pièce. S'il pleure, attendez 5 minutes afin de voir s'il se calme et s'endort. Dans le cas contraire, rassurez-le en le caressant puis ressortez de la pièce. Ne vous attardez pas à ses côtés.
  Si votre enfant pleure toujours, attendez 10 minutes avant d'aller le voir. Rassurez-le puis ressortez. Une fois encore ne restez pas trop longtemps près de lui. Si les pleurs persistent, attendez cette fois 15 minutes avant d'intervernir. Si besoin, allez le voir tous les 1/4 d'heure, l'essentiel étant que vous ne soyez pas dans sa chambre lorsque votre enfant finit par s'endormir.
- *2e nuit :* couchez votre enfant. S'il pleure, attendez 10 minutes avant d'intervenir. Rassurez-le puis sortez de la pièce. Si les pleurs perdurent, revenez 15 minutes plus tard. Si votre enfant s'endort, tant mieux. Dans le cas contraire, allez le voir toutes les 20 minutes jusqu'à ce qu'il finisse par s'assoupir.
- *3e nuit :* couchez votre enfant. S'il pleure, attendez 15 minutes avant d'intervenir puis 20 puis 25 minutes. Votre enfant sait que vous ne le lèverez pas et qu'il doit s'endormir seul. Il y a fort à parier qu'il s'endorme sans pleurer la nuit suivante.

Conseil d'amie

Si votre enfant râle plus qu'il ne pleure et si ses grognements sont réguliers, il essaie probablement par ce moyen de s'endormir. N'intervenez pas et vous verrez qu'il aura tôt fait de tomber dans les bras de Morphée.

---

2. Se passer progressivement de la présence des parents

- *Étape n° 1* (compter 2 nuits) : couchez votre enfant puis restez à ses côtés jusqu'à ce qu'il s'endorme. S'il pleure, câlinez-le, rassurez-le mais surtout ne le levez pas et ne lui donnez pas de biberon. Il a l'habitude de s'endormir en tétant et il pleure car il ne supporte pas que vous ayez mis un terme à cette pratique.
- *Étape n° 2* (compter 2 nuits) : votre enfant sait maintenant qu'il n'aura plus de biberon une fois couché. Asseyez-vous près de son lit mais ne le caressez pas et évitez de le regarder.
- *Étape n° 3* (peut prendre jusqu'à 2 semaines) : éloignez progressivement la chaise du lit de votre enfant, le but à atteindre étant que votre enfant s'endorme sans votre présence à ses côtés.

Conseil d'amie

Vous voulez que tout soit réglé en une semaine ?

Pourquoi ne pas combiner les deux méthodes ? Mettez en place la seconde méthode et, au bout des quatre nuits, soit à la fin des deux premières étapes, passez à la première méthode.

À garder à l'esprit :

1. Quelle que soit la méthode choisie, mettez-la en place au début de la nuit. Permettre à votre enfant de s'endormir en tétant et vouloir lui apprendre à s'endormir seul au beau milieu de la nuit ne peut que se solder par un échec.
2. Si votre enfant se réveille la nuit, procédez comme au coucher, que vous optiez pour l'une ou l'autre des méthodes.

Conseil d'amie

Le plan d'action que vous allez mettre en place repose sur la connaissance que vous avez de votre enfant, des facteurs expliquant ses difficultés à dormir mais aussi de vos forces, de vos faiblesses et de vos limites. Le plan d'action doit, par ailleurs, répondre aux besoins de votre enfant et à prendre en compte ceux des autres membres de la famille.

Tout au long de cet ouvrage, nous avons vu combien il était important que votre enfant apprenne à se passer progressivement de votre présence à ses côtés au moment de s'endormir. En effet, cette stratégie, qui peut s'appliquer à tous les enfants, débouche pratiquement toujours sur un succès dès lors que vous respectez un rituel préalablement défini et que vous n'abandonnez pas en cours de route.

Si certains parents préfèrent la méthode n° 1, à savoir laisser pleurer leur enfant, c'est uniquement parce qu'elle correspond davantage à leurs convictions et qu'elle risque moins de bouleverser la vie familiale.

Quel qu'il soit, le choix vous appartient et a toutes les chances de réussir si vous ne dérogez pas aux règles que vous vous êtes fixées, si vous avez confiance et si vous êtes prêts à aller jusqu'au bout.

Définir un plan d'action

Vous avez identifié la raison pour laquelle votre enfant a du mal à s'endormir et/ou se réveille plusieurs fois au cours de la nuit. Vous avez choisi la méthode qui vous semble la plus appropriée. Vous savez quand vous allez mettre en place la stratégie et vous avez mis au courant toutes les personnes qui d'une manière ou d'une autre sont concernées. Il est temps d'écrire noir sur blanc votre plan d'action.

Prenez une feuille de papier et notez chacune des étapes à franchir. Cette technique permet de clarifier ses pensées, voire de résoudre certains problèmes.

Plan d'action (nuits 1 et 2)

Au début de la nuit

- Mise en place du rituel lorsque mon enfant présentera les premiers signes de fatigue.
- Après le bain, je l'emmènerai directement dans sa chambre et le préparerai pour la nuit.
- Je lui donnerai son biberon, assis dans un fauteuil et lui lirai une histoire. S'il manifeste son mécontentement, je devrai rester calme et serein.
- Je le coucherai avant qu'il s'endorme et resterai près de lui. S'il est normal qu'il soit frustré et en colère, je ne veux pas qu'il se sente abandonné et ait peur.
- Dès qu'il sera endormi, je me coucherai car je sais que je devrai probablement me lever la nuit pour m'occuper de lui.

1re nuit

Ce qui s'est passé

A apprécié le rituel. Totalement éveillé quand je l'ai couché. S'est endormi au bout de 55 min. Peu de pleurs. Plutôt calme.

S'est endormi à 20 h 25.

S'est réveillé à 21 h 15. Je l'ai rassuré et il s'est rendormi rapidement.

2e nuit

Ce qui s'est passé

Parfaitement éveillé quand je l'ai couché. Ai rangé sa chambre. Suis sorti et ai fait plusieurs allers-retours en attendant qu'il se calme. Me suis assis près de son lit. Il s'est endormi au bout de 20 min. N'a quasiment pas pleuré.

	1re nuit	2e nuit
	Ce qui s'est passé	**Ce qui s'est passé**
Durant la nuit • S'il se réveille, je m'assoirai près de son lit et attendrai qu'il se rendorme. S'il pleure, je resterai parfaitement calme et serein. • Peu importe le nombre de fois qu'il se réveille et le temps qu'il met pour se rendormir. Quoi qu'il fasse, je le laisserai dans son lit.	*S'est réveillé à minuit et demi. A eu beaucoup de mal à se rendormir. Sommeil très agité jusqu'à 2h20.* *Je ne savais plus quoi faire mais j'ai tenu bon.* *S'est réveillé à 4h15 . A mis environ une demi-heure avant de se rendormir.*	*S'est réveillé à une heure moins le quart. S'est rendormi au bout de 15 min.*
Le matin de bonne heure • Ne pas le lever avant 7h même s'il se réveille plus tôt. Si je le prends dans mon lit, tout le travail fait en amont n'aura servi à rien.	*S'est réveillé à 6h15. Suis resté près de lui jusqu'à 6h50, heure à laquelle il a fini par se rendormir.* *S'est réveillé à 7h20. Je l'ai levé.*	*A dormi jusqu'à 6h30 ! Je l'ai levé car il était souriant et bien reposé.*
Dans la journée • L'idéal serait qu'il fasse 2 siestes (dans son lit ou ailleurs). Lorsqu'il n'aura plus aucune difficulté à s'endormir le soir, je me préoccuperai du rituel de la sieste.	*A montré des signes de fatigue à 9h45. A pleuré environ une demi-heure dans son lit puis s'est endormi. A dormi 30min. S'est réveillé en pleurant et fatigué. N'ai pas eu le courage de le laisser dans son lit.* *A montré des signes de fatigue à 13h45. Sommes allés nous promener. A dormi 2 heures dans sa poussette.*	*Ai attendu jusqu'à 10h pour le coucher. A pleuré environ une demi-heure. Suis resté près de lui. A dormi 1h30. S'est réveillé bien reposé. A bien déjeuné.* *À 15h s'est endormi dans sa poussette. A dormi 45 min.*

Plan d'action (de la 3e à la 7e nuit)

Au début de la nuit	*3e nuit*	*4e nuit*	*5e nuit*	*6e nuit*	*7e nuit*
			Ce qui s'est passé		
Comme les nuits précédentes. Mais j'ai l'intention de m'éloigner peu à peu de son lit.	*Suis resté près de lui mais ne l'ai pas touché. S'est endormi au bout de 15 min.*	*Me suis assis plus loin du lit. Ai fermé les yeux et respiré comme j'ai appris à le faire au yoga. S'est endormi au bout de 10 min.*	*Chaise de plus en plus loin du lit. S'est endormi au bout de 15 min. Pas de pleurs.*	*Chaise près de la porte. S'est endormi au bout de 5 min. Pas de pleurs.*	*Ai quitté la pièce. Suis allé me laver les mains Dormait quand je suis revenu !*
Durant la nuit					
J'attendrai un peu avant d'intervenir. Se rendormira peut être seul.	*Réveillé à 1 h. Suis allé le voir, mais il dormait déjà.*	*A geint 1 fois ou 2, mais je ne me suis pas levé.*	*Ne s'est pas réveillé.*	*Ne s'est pas réveillé.*	*Ne s'est pas réveillé.*
Le matin de bonne heure					
Voir ci-dessus.	*Réveillé à 4 h. S'est rendormi au bout de 30 min. Réveillé à 6 h. Ne me suis pas levé. Il s'est rendormi seul.*	*Réveillé à 7 h 10.*	*Réveillé à 6 h 45. L'ai levé.*	*Réveillé à 6 h 30. Discutait. L'ai donc laissé dans son lit. L'ai levé à 7 h 15.*	*Comme hier.*

Dans la journée	*3e nuit*	*4e nuit*	*5e nuit*	*6e nuit*	*7e nuit*
		Ce qui s'est passé			
Avons tous les deux besoin de nous reposer. J'aimerais qu'il fasse une sieste dans son lit et une sieste dans sa poussette.	*Couché à 9h15. A pleuré 20 min puis a dormi 1h30. Sieste de 45min l'après-midi dans sa poussette.*	*Couché à 9h30. A pleuré 10 min puis a dormi 1h15. Sieste d'1h l'après-midi dans sa poussette*	*Couché à 9h20. L'ai laissé pour répondre au téléphone. A pleuré 5min. A dormi 1h30. Sieste de 45min l'après-midi dans sa poussette.*	*Couché à 9h15. A geint 10min, puis a dormi 1h30. A fait une sieste d'1h l'après-midi dans son lit.*	*A dormi de 9h30 à 11h. A fait une sieste de 14h30 à 15h30. A chaque fois dans son lit.*

Soumettez votre plan d'action à une personne de confiance afin qu'elle vous donne son avis. Par ailleurs, il est important que votre entourage sache ce que vous projetez de faire.

Mettre en place un plan d'action

Vous savez pourquoi votre enfant a du mal à s'endormir le soir ou à la sieste et pourquoi il se réveille plusieurs fois au cours de la nuit.

Votre souhait le plus cher est que la situation évolue. Pour ce faire, respectez la « règle des trois C » à savoir :

- cohérence
- calme
- confiance.

En effet, pour que tout se passe au mieux – pour votre enfant mais également pour vous –, il est essentiel que vous ne dérogiez pas à cette règle. Les conseils ci-dessous devraient vous aider à ne pas baisser les bras lorsque la situation vous semble trop difficile voire ingérable.

Ne pas baisser les bras

Problèmes	*Solutions*
Mon fils pleure puis vomit.	Nettoyez-le, changez les draps et recouchez-le le plus vite possible. Ne lui donnez pas à téter et, surtout, ne dramatisez pas la situation. Si besoin est, restez à ses côtés jusqu'à ce qu'il se rendorme.
Il réveille systématiquement ses frères et sœurs.	Expliquez-leur (s'ils sont en âge de comprendre) que vous essayez d'apprendre à leur petit frère à s'endormir seul le soir et à faire des nuits complètes. Rassurez-les en leur disant que vous contrôlez la situation et que leur petit frère va bien. Même si le sommeil des autres membres de la famille risque d'être un peu perturbé, dites-vous que c'est pour la bonne cause et que tout rentrera bientôt dans l'ordre.
Mon fils pleure beaucoup plus que je ne l'aurais pensé. Plus précisément, il hurle.	Pas de panique ! Dans la mesure où vous allez le voir régulièrement pour le rassurer, il sait parfaitement que vous ne l'avez pas abandonné. Par ses pleurs, il ne fait qu'exprimer son désaccord et sa frustration.
Alors que j'essaie de lui apprendre à mieux dormir, il sort des dents et a le nez bouché.	S'il souffre, prenez-le dans vos bras et réconfortez-le mais surtout restez dans sa chambre. Pour calmer la douleur, donnez-lui de l'eau et un antalgique. Attendez une vingtaine de minutes que le médicament agisse, puis recouchez votre enfant.

L'idéal est que la mise en place du plan d'action ne dépende pas d'un seul parent. Si aucune autre solution n'est envisageable et que tout repose sur vos épaules, n'hésitez pas à solliciter vos amis ou les membres de votre famille.

Par exemple, demandez à votre sœur d'emmener votre enfant en promenade pendant que vous faites la sieste. Vous accepterez plus facilement de passer une partie de la nuit debout si vous savez que vous pourrez dormir une heure ou deux dans la journée.

Faire part de vos doutes à quelqu'un ; vous entendre dire que vous êtes sur la bonne voie vous sera également bénéfique.

Adressez-vous à une personne de confiance – votre meilleure amie, votre mère, votre frère, votre tante... Sachez par ailleurs que les puéricultrices, les infirmières ou les assistantes sociales du centre de protection maternelle et infantile (PMI) mais aussi votre médecin traitant et votre pédiatre sont là pour répondre à vos questions, vous conseiller, voire éventuellement vous mettre en relation avec des parents se trouvant dans la même situation que vous. Vous pouvez enrichir les conseils de votre médecin par des témoignages de parents sur Internet.

Au bout de combien de temps le problème sera t-il réglé ?

L'expérience me fait dire qu'il est fréquent que, dans un premier temps, la situation se dégrade. S'attendre au pire permet de surmonter plus facilement les obstacles.

- Dans la mesure du possible, ne prévoyez aucune invitation ou sortie durant toute la période « d'apprentissage ».
- Une semaine avant de mettre les choses en route, remplissez votre congélateur et vos placards, et privilégiez les plats cuisinés. Vous n'aurez, en effet, guère le temps de préparer des petits plats.
- Laissez de côté les tâches ménagères non urgentes et dites-vous que, si la pile de linge à repasser augmente, ce n'est pas un drame. Vous repasserez quand vous aurez plus de temps et surtout plus d'énergie.
- Profitez du sommeil de votre enfant ou de votre absence pour vous reposer.
- Ne restez pas cloîtré chez vous avec votre bébé et, même si vous êtes fatigué, prévoyez une promenade ou toute autre activité avec lui au minimum une fois par jour.
- Si vous travaillez, prenez quelques jours de congé ou profitez de vos jours de RTT pour mettre en place votre plan d'action. Votre enfant doit continuer à aller chez la nourrice ou à la crèche. Ne culpabilisez pas si vous profitez de son absence pour vous reposer car les nuits risquent d'être longues.

Les siestes : quand et combien de temps ?

Supposons que votre enfant s'endorme tard le soir, soit parce qu'il fait une très longue sieste l'après-midi, soit parce qu'il fait un petit somme en début de soirée. Votre objectif est d'avancer – à raison de 15 minutes par jour – l'heure du coucher afin que l'horloge biologique interne de votre enfant se règle progressivement. Écourtez la sieste de l'après-midi ou supprimez la sieste en début de soirée, ou tout au moins veillez à ce qu'elle ne dure pas plus de 10 minutes.

Vouloir du jour au lendemain mettre votre enfant au lit à 19 h alors qu'il s'est toujours couché à 23 h relève de l'utopie. Pour que la mise en place d'un nouveau rituel soit bénéfique, tout changement doit être progressif.

Les parents qui pensent que supprimer la sieste est la meilleure solution doivent se souvenir qu'un enfant trop fatigué a du mal à s'endormir. Cela est particulièrement visible chez les enfants de 18 mois qui refusent de faire la sieste.

Dans les jours qui suivent la mise en place du plan d'action, n'hésitez pas à faire le point, notamment si vous avez l'impression de ne pas progresser. En effet, il suffit parfois de voir le chemin parcouru pour reprendre courage.

Le matin, posez-vous les questions suivantes :

1. Effet(s) bénéfique(s) du plan d'action sur le sommeil de mon enfant.
2. Effet(s) négatif(s) du plan d'action sur le sommeil de mon enfant.
3. Ai-je respecté en tout point le plan d'action ?
4. Quelle étape vais-je essayer de franchir ce soir ?

Exemple

1. Effets bénéfiques du plan d'action sur le sommeil de mon enfant

- Il s'est endormi dans son lit et non dans mes bras.
- Il ne s'est pas réveillé dans l'heure qui a suivi, ce qu'il fait habituellement.

2. Effets négatifs du plan d'action sur le sommeil de mon enfant

Il s'est réveillé à 2 h et a mis plus d'une heure à se rendormir. D'habitude, lorsqu'il se réveille je le prends dans mon lit et il se rendort immédiatement.

3. Ai-je respecté en tout point le plan d'action ?

Oui, totalement.

4. Quelle étape vais-je essayer de franchir ce soir ?

Je dois tout faire pour qu'il comprenne qu'il est en sécurité dans son lit et que c'est là qu'il doit dormir. Ce message doit absolument passer.

Chaque fois que vous faites le point, ne perdez pas de vue votre objectif et n'oubliez pas qu'un sommeil de qualité sera certes bénéfique à votre enfant mais également à tous les membres de la famille, y compris vous.

Conseil d'amie

Ne vous découragez pas trop vite. Suivez à la lettre le plan d'action que vous avez défini au moins durant trois nuits consécutives, puis faites le point. Si vous ne notez aucune évolution positive, pourquoi ne pas envisager une autre stratégie.

Que faire en cas d'échec ?

Motivés et remplis d'espoir, vous avez mis en place – après mûre réflexion – le plan d'action qui vous semble le mieux approprié à la situation. Vos objectifs sont clairs et les différentes étapes à franchir sont parfaitement définies, et pourtant vous ne notez aucune amélioration. Votre enfant ne dort pas mieux et, de votre côté, vous êtes non seulement exténués mais également démoralisés. Une question vous hante : « Qu'est-ce qui ne va pas ? »

Si votre plan d'action s'est soldé par un échec ou si vous ne notez aucun progrès, il y a une raison.

- *La stratégie adoptée est en total désaccord* avec l'idée que vous vous faites de votre rôle de parents, et en totale contradiction avec les valeurs qui sont les vôtres. Autrement dit, vous ne croyez pas vraiment à ce que vous faites.
  1. Pourquoi ne pas envisager une approche plus douce ou au contraire plus stricte ?

2. Pourquoi vous priver du contact privilégié que vous avez avec votre bébé la nuit si vous ne vous en sentez pas capables ?

- *La situation évolue trop lentement à votre gré et vous perdez courage.*
  Dans ce cas, la solution pourrait être de laisser votre bébé pleurer sans intervenir. Si vous avez déjà mis en place un rituel le soir et si vous couchez toujours votre enfant dans son lit avant qu'il ne soit endormi, le plus gros du travail est fait et tout devrait aller assez vite.
- *Votre bébé est totalement perturbé par les changements mis en place.*
  Ne baissez pas les bras mais optez pour une méthode plus douce, mieux appropriée. Soyez positif : « Si j'arrive au moins à lui faire comprendre que c'est dans son lit qu'il doit dormir, nous aurons fait un grand pas en avant. ». Les étapes doivent être franchies les unes après les autres. Si vous laissez votre enfant hurler seul dans son lit du jour au lendemain alors que vous l'avez toujours endormi dans votre lit, il est normal qu'il n'accepte pas la situation. Ne soyez pas trop pressés.
- *Une maladie, un départ en vacances, un déménagement ou tout autre facteur viennent perturber votre plan d'action. Que faire ?*
  Certains éléments échappent à votre contrôle et, bien évidemment, ont un impact négatif sur le sommeil de votre enfant. Attendez que la situation se stabilise avant d'envisager de franchir une autre étape mais surtout ne faites pas marche arrière. Par exemple, si votre bébé fait ses dents et se réveille toutes les deux heures la nuit, pas question de lui donner un biberon ou le sein pour le calmer ou de le prendre dans votre lit. Prenez-le dans vos bras et réconfortez-le, donnez-lui un peu d'eau avec éventuellement un antalgique si le médecin vous en a prescrit pour le soulager mais surtout laissez-le dans sa chambre. Attendez qu'il ait retrouvé son calme puis recouchez-le, quitte à rester près de lui jusqu'à ce qu'il s'endorme. Un enfant qui souffre a besoin de réconfort mais il est hors de question qu'il reprenne ses mauvaises habitudes.
- *Votre entourage critique amèrement la stratégie que vous avez choisie.*
  Le fait que vos parents et amis se préoccupent de la situation est plutôt un bon point. Comme nous l'avons vu précédemment, écouter les conseils des uns et des autres

est souvent bénéfique. Toutefois, la décision finale vous appartient à vous seuls. Nul ne connaît mieux votre bébé que vous. Nul ne sait mieux que vous quelles sont vos limites. Soyez à l'écoute des autres mais expliquez-leur que ce qui a marché pour leur enfant ne va pas forcément convenir à votre bébé.

La situation est beaucoup plus compliquée quand il y a une divergence d'opinions entre le père et la mère. Il faut alors prendre le temps de discuter jusqu'à ce qu'un compromis soit trouvé.

- *Vous avez soudainement changé l'heure à laquelle vous couchiez votre enfant et son organisme n'a pas eu le temps de s'habituer.*
  Alors que jusque-là vous couchiez votre enfant vers 22h, vous décidez du jour au lendemain qu'il devra être au lit au plus tard à 19h30. Votre enfant n'étant pas « programmé » pour dormir aussi tôt, vous allez droit à l'échec. Plutôt que de lui imposer un changement radical du jour au lendemain, avancez progressivement l'heure du coucher (par exemple, gagnez 10 minutes chaque jour). Supposons que votre enfant ait l'habitude de faire une sieste vers 18h – ce qui explique l'heure tardive à laquelle vous le couchez. Écourtez progressivement la sieste jusqu'à ce que vous puissiez la supprimer définitivement. Attendez-vous à ce que votre enfant se réveille plus tôt le matin. Pour qu'un enfant soit bien reposé, il doit faire des nuits de 10 à 11 heures.
- *Vous capitulez en cours de route.*
  Il arrive – plus souvent qu'on ne le croit – que des parents mettent en place un plan d'action qui fonctionne dans un premier temps mais, pour une raison ou une autre, ils décident de tout laisser tomber. Cette attitude est d'autant plus fréquente que la stratégie adoptée est la « méthode douce ». Imaginons que vous décidiez de coucher votre enfant et d'attendre patiemment assis sur une chaise qu'il s'endorme. Dès que votre enfant dort, vous quittez la chambre et invariablement il se réveille en hurlant. La méthode fonctionne partiellement dans la mesure où votre enfant s'endort dans son lit mais se réveille systématiquement. Ne supportant pas de ne plus vous voir à ses côtés lorsqu'il se réveille, votre enfant lutte contre le sommeil car il sait que tant qu'il ne dort pas, vous restez près de lui mais que dès qu'il dort, vous partez. La solution est donc de vous éloigner progressivement. Il est normal que votre bébé

protesteste et manifeste son désaccord. Rassurez-le et il finira par comprendre que ce n'est pas parce que vous n'êtes plus dans sa chambre que vous l'avez abandonné. Cette étape est un passage obligé pour que votre enfant arrive à se rendormir seul s'il se réveille la nuit.

- *Vous avez mis en place le plan d'action non pas lorsque vous couchez votre enfant le soir mais lorsqu'il se réveille la nuit alors qu'il doit être mis en place au début de la nuit.*
  Un enfant qui s'endort dans les bras de son père, au sein, sur le canapé du salon ou dans le lit de ses parents ne peut que piquer une crise s'il se réveille et s'aperçoit qu'il n'est pas là où il était lorsqu'il s'est endormi. Soyez intransigeants : votre enfant doit s'endormir dans son lit avec vous à ses côtés dans un premier temps puis seul.

Vous serez peut-être amenés pour une raison ou une autre à modifier ou revoir entièrement votre plan d'action. Si aucune méthode ne vous satisfait, trouvez un compromis.

Vers 8 mois, Blanche a eu de plus en plus de mal à s'endormir le soir. Par ailleurs, elle se réveillait plusieurs fois la nuit en pleurant. Conscients que la situation ne pouvait pas durer, mon mari et moi avons décidé de mettre en place un plan d'action. Ne supportant pas l'idée de l'entendre pleurer des heures durant, nous avons opté pour une « méthode douce ».

Notre premier objectif a été de lui apprendre à s'endormir dans son lit alors qu'elle s'était toujours endormie au sein. Une fois la tétée terminée, je la berçais jusqu'à ce qu'elle s'endorme. Le câlin s'est progressivement écourté et, au bout de quelques jours, nous la couchions immédiatement après son rot. Blanche n'a évidemment pas apprécié ! Lorsqu'elle se réveillait la nuit, je lui donnais le sein dans notre lit. Elle restait avec nous jusqu'au matin. Mon mari et moi avions conscience qu'il fallait régler le problème de l'endormissement le soir avant de nous préoccuper des réveils au cours de la nuit.

Confiants, nous avons mis en place une stratégie qui, rapidement, a donné de bons résultats. Après être couchée, Blanche dormait plusieurs heures d'affilée. Lorsqu'elle se réveillait, la situation était plus critique. Nous n'arrivions pas à rester assis sur une chaise alors que notre fille pleurait dans son lit. Invariablement nous la prenions dans nos bras jusqu'à ce qu'elle se rendorme. Le temps passait mais le scénario restait le même. Il y avait peu de chances que la situation évolue si nous restions sur notre position.

Nous avons donc décidé de faire le point. La conclusion fut sans appel : pour que la situation évolue, nous devions être plus fermes et accepter de faire ce que nous avions toujours refusé jusque-là, à savoir laisser Blanche pleurer dans son lit.

Tout le travail que nous avions fait en amont n'était pas perdu. En effet, Blanche ne râlait plus lorsque nous la couchions le soir. Au contraire ! Nous avions le sentiment qu'elle aimait bien se retrouver au calme dans son lit.

La 1re nuit, notre petite fille a dormi plusieurs heures d'affilée puis elle s'est réveillée. Nous l'avons rassurée puis nous sommes sortis de sa chambre. Comme elle pleurait toujours, nous avons attendu 5 minutes et nous sommes retournés la voir. Nous l'avons rassurée puis nous sommes sortis de la pièce. Blanche n'étant toujours pas calmée, nous avons cette fois attendu 10 minutes avant d'aller la voir, puis 15 minutes. Finalement, Blanche s'est rendormie au bout de 3/4 d'heure. Elle s'est réveillée au petit matin mais elle s'est rendormie au bout de 25 minutes. Elle a dormi jusqu'à 7 h 30. J'avais peur qu'elle m'en veuille de l'avoir laissée pleurer mais, lorsque je l'ai prise dans mes bras, elle m'a souri et m'a fait un gros câlin.

La 2e nuit, notre petite fille s'est endormie au bout de 10 minutes et elle ne s'est réveillée qu'à 5 h. Nous ne sommes pas intervenus et, au bout de 5 minutes, elle dormait à nouveau.

La 3e nuit, elle a râlé pour la forme lorsque nous l'avons couchée mais, quelques minutes plus tard, elle dormait. Elle s'est réveillé à 7 h 15.

Même si nous étions totalement opposés à cette idée, nous devons reconnaître que laisser Blanche pleurer lorsqu'elle se réveillait la nuit était la solution. Avec le recul, je me dis que l'aider à bien dormir est la meilleure chose que nous ayons fait pour notre fille à ce jour.

L'issue n'est pas toujours aussi heureuse et, même si les parents suivent à la lettre la stratégie définie, il arrive que la situation stagne.

Lorsque Guillaume a eu 1 an, nous avons réalisé que la situation ne pouvait pas durer. Notre fils se réveillait jusqu'à quatre fois au cours de la nuit. Le soir, l'un de nous le berçait jusqu'à ce qu'il s'endorme. La même chose se produisait lorsqu'il se réveillait la nuit. Cela ne faisait aucun doute : Guillaume avait pris l'habitude de s'endormir dans nos bras. Notre fils était un petit garçon robuste et nous nous sommes dit que le laisser pleurer était peut-être la bonne solution. Cette méthode nous avait été conseillée par nombre de nos amis et nous pensions que la situation serait très rapidement réglée.

La première nuit fut terrible. Guillaume a bien évidemment hurlé lorsque nous l'avons couché. Nous avons attendu 5 minutes avant d'intervenir. Nous l'avons réconforté et sommes sortis de sa chambre et ce qui était prévisible s'est produit : Guillaume s'est remis à hurler. Cette fois nous avons attendu 10 minutes avant d'aller le voir. Nous avons réussi à le calmer mais dès, que nous sommes partis, notre fils a piqué une nouvelle crise. Nous avons attendu 15 minutes. Nous avons trouvé Guillaume couvert de vomi. Nous savions que cela pouvait se produire et nous ne nous sommes pas inquiétés outre mesure. Nous l'avons nettoyé, nous avons changé les draps puis nous l'avons recouché. Dix minutes plus tard, il avait à nouveau vomi et nous avons dû une fois encore tout nettoyer. Nous avons décidé de tenir bon et, au bout de 2 heures, Guillaume a fini par s'endormir.

Notre fils a dormi plusieurs heures d'affilée mais je pense que c'est uniquement parce qu'il était épuisé d'avoir autant pleuré. Mon mari et moi avions un tel sentiment de culpabilité que nous n'avons pas fermé l'œil de la nuit.

La nuit suivante, Guillaume a hurlé et a vomi dans son lit. Mon mari et moi ne voulions pas que le scénario de la veille se reproduise. Manifestement, notre plan d'action ne convenait pas à notre fils.

Nous avons décidé de faire marche arrière et d'endormir Guillaume en le berçant. Notre fils s'est rapidement endormi mais, au bout de quelques heures, il s'est réveillé. Nous l'avons pris dans nos bras et avons attendu qu'il dorme pour le mettre dans son lit.

Au fil des jours et des semaines, nous étions épuisés. Nous avons donc consulté un médecin spécialisé dans les troubles du sommeil qui nous a conseillé de coucher Guillaume alors qu'il était encore éveillé et de rester près de lui mais surtout de ne plus l'endormir en le berçant. Nous devions progressivement nous éloigner du lit, le but étant qu'au final Guillaume s'endorme sans notre présence à ses côtés.

Ce qui devait être réglé en trois nuits a pris plus de trois semaines ! Heureusement, tout est rentré dans l'ordre. Guillaume fait ses nuits et ne vomit plus dans son lit et, de notre côté, nous pouvons enfin nous reposer ! Même si cette expérience a été difficile pour tout le monde, nous savons maintenant qu'il fallait en passer par là.

Rester sur la bonne voie

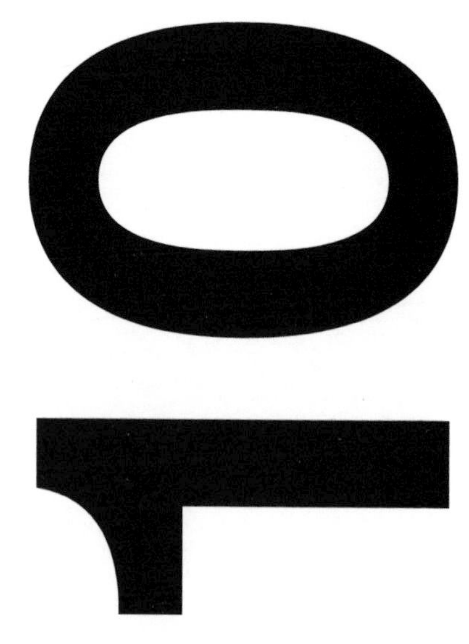

Dans ce chapitre, vous apprendrez à :

- éviter que votre enfant reprenne de mauvaises habitudes suite à une maladie, à un déménagement ou à un départ en vacances ;
- faire durer les nouvelles habitudes acquises ;
- vous préoccuper de votre propre sommeil.

Vous avez investi du temps et fait des efforts considérables pour apprendre à votre enfant à s'endormir seul et à ne plus se réveiller la nuit, et il est hors de question qu'il reprenne de mauvaises habitudes. Premièrement, parce que vous savez que vous n'aurez plus le courage ni de supporter les pleurs et les cris, ni de passer des heures et des heures assis dans la chambre de votre bébé ou sur le palier à attendre qu'il finisse par s'endormir. Deuxièmement, parce que, pour le bien-être de votre fils ou de votre fille, il n'est pas envisageable de faire marche arrière.

La plupart du temps, il suffit de quelques nuits pour que tout rentre dans l'ordre et que les bébés qui avaient des difficultés à s'endormir et/ou qui dormaient en pointillé fassent des nuits de 12 heures et des siestes réparatrices. Quoi qu'il se passe, rien ne peut les perturber. Comme toujours, il y a des exceptions et malheureusement tout n'est pas toujours aussi simple. Il suffit d'un changement – départ en vacances, maladie, déménagement – pour que le sommeil des enfants les plus fragiles soit perturbé.

Si vous pensez que votre enfant entre dans cette dernière catégorie et que tout peut brusquement être remis en question, soyez particulièrement vigilants.

Bien évidemment, même le plus gros des dormeurs peut, pour une raison ou une autre, avoir des nuits agitées. Supposons que votre enfant soit malade et qu'il se réveille toutes les deux heures, il est évident que votre priorité doit être de le réconforter et de soulager sa douleur ou minimiser sa gêne. Prenez-le dans vos bras, câlinez-le sans craindre que cela soit au détriment de tout le travail que vous avez fait au préalable. Une fois que l'état de santé de votre enfant s'améliore, reprenez vos habitudes et vous verrez que tout se passera bien.

Le saviez-vous ?

Chassez le naturel et il revient au galop. Il suffit que vous preniez votre enfant dans votre lit, que vous lui donniez la tétée ou que vous le berciez pour l'endormir deux ou trois nuits consécutives pour que vous retombiez dans un cycle infernal.

Partir en vacances

Nombre de parents redoutent de partir en vacances, soit parce qu'ils ont peur que le sommeil de leur enfant en pâtisse, soit parce qu'ils appréhendent le retour à la maison. Si cela est fort regrettable, chacun peut le comprendre. En effet, il est normal que les parents craignent que leur enfant pleure la nuit et réveille non seulement les autres membres de la famille mais aussi les vacanciers qui séjournent dans le même hôtel, le même terrain de camping ou la même résidence.

Lorsque vous n'êtes plus dans votre environnement, n'hésitez pas à modifier quelque peu vos habitudes. En effet, si vous faites des marches de plusieurs heures et que votre enfant fait de longues siestes dans un porte-bébé ou dans une poussette, il est normal qu'il n'ait pas sommeil à l'heure à laquelle vous le couchez à la maison.

Respectez le rituel du soir et emportez certains des objets – livre, peluche, tétine, doudou, etc. – que votre enfant retrouve à l'heure du coucher et qui, pour lui, sont autant d'éléments déclencheurs de sommeil. Si, pour une raison ou une autre, vous ne pouvez pas le baigner le soir, chantez-lui la chanson que vous lui chantez lorsqu'il est dans son bain, même si vous vous contentez de lui laver le visage et les mains et de lui brosser les dents.

Mieux vaut installer son lit tout contre le vôtre que d'accepter qu'il passe la nuit entre vous, d'une part, pour ne pas avoir à affronter une crise de larmes lorsque vous serez de retour à la maison et, d'autre part, pour que vous vous reposiez la nuit et ne soyez pas gênés par un bébé qui gigote.

Pour que les voyages ne se transforment pas en cauchemars

Le sommeil des enfants est souvent perturbé, notamment si vous parcourez beaucoup de kilomètres. La plupart des enfants s'endorment dès qu'ils sont en voiture. C'est un avantage dans la mesure où ils ne voient pas le temps passer mais c'est également un inconvénient car trop dormir le jour peut expliquer qu'ils n'aient pas sommeil le soir. Par ailleurs, se retrouver dans un environnement qui ne leur est pas familier peut également les rendre plus nerveux et moins enclins au sommeil.

Pour éviter le pire

1. Voyagez si possible de nuit.
2. Si vous êtes obligés de voyager le jour et que votre enfant dort pendant presque tout le trajet, attendez qu'il montre des signes de fatigue pour le coucher afin qu'il s'endorme relativement rapidement et que vous n'ayez pas à batailler. Il est primordial qu'il ne développe aucune aversion pour son lit.

Les voyages en avion

Si vous prenez l'avion ou si vous vous rendez dans un pays avec un décalage horaire important, prenez certaines précautions afin que tout se passe au mieux.

1. Signalez à la compagnie aérienne que vous voyagez avec un bébé ou un enfant en bas âge. Sur certains long-courriers, il est possible soit de bénéficier d'un siège ou d'un lit fournis par la compagnie, soit d'emporter votre siège-auto à la condition qu'il soit homologué. Renseignez-vous au moment de la réservation.
2. Demandez à votre médecin traitant ou à votre pédiatre de prescrire un médicament contre les nausées ou le mal d'oreille dont souffrent nombre d'enfants au décollage et à l'atterrissage.
3. Privilégiez les dosettes individuelles plus faciles à utiliser que les flacons.
4. Si votre enfant est suffisamment grand, emportez des chewing-gums à mâcher, dites-lui de bâiller et d'avaler sa salive. Pour les tout-petits, la meilleure solution contre le mal d'oreille est de téter.
5. Habillez votre enfant avec des vêtements amples et confortables faciles, à mettre et à enlever. Prévoyez des changes.
6. Laissez-le dans sa poussette jusqu'à ce que vous montiez à bord afin qu'il soit rassuré et puisse se reposer.
7. Sur la plupart des vols, les familles embarquent en premier. N'hésitez pas à demander si des sièges sont libres et à en bénéficier si nécessaire. Le personnel navigant a tout intérêt à vous installer à l'écart afin que vous ne dérangiez ni le service ni les autres passagers.
8. Après le décollage, donnez à boire à votre enfant pour le forcer à avaler – ce qui favorise l'ouverture des trompes d'Eustache – et éviter qu'il se déshydrate.
9. Laissez-le dormir autant qu'il veut.
10. Nourrissez-le lorsqu'il le demande sans vous préoccuper du décalage horaire. Dans tous les avions, des chauffe-biberons sont mis à la disposition des familles. N'attendez pas la dernière minute pour demander à l'hôtesse de réchauffer le biberon de votre enfant car, si elle est trop occupée, votre enfant risque de hurler.

11. Lorsque votre enfant est réveillé, promenez-le dans les allées. Nombre de compagnies diffusent sur des écrans des programmes destinés au jeune public. Emportez un maximum de jouets afin de l'occuper le plus possible.
12. Une fois arrivés à destination, laissez le temps à votre enfant de se familiariser avec les lieux. Aux premiers signes de fatigue, mettez en place le rituel auquel il est habitué.
13. Ne laissez pas une personne qu'il connaît peu ou pas le baigner et/ou le coucher, même si vous êtes épuisés et qu'on vous le propose. Répondez que pour le premier soir, mieux vaut que ce soit vous qui vous occupiez de lui.
14. Couchez-vous le plus tôt possible afin d'être prêts à assumer une nuit courte, notamment si le décalage horaire est important. Si vous voyagez avec votre conjoint(e), organisez un « tour de garde » tant que l'horloge biologique de votre enfant ne se sera pas adaptée aux nouveaux horaires.
15. Sachez que les enfants s'adaptent plus vite que les adultes au décalage horaire. Pour faciliter les choses, laissez votre enfant dormir autant qu'il veut le lendemain matin puis écourtez la sieste de l'après-midi afin qu'il soit fatigué à l'heure à laquelle vous souhaitez le coucher. Si vous devez reculer l'heure du coucher, faites-le même si vous pensez que le décalage est trop important pour votre enfant. Le coucher alors qu'il n'est pas fatigué ne peut que favoriser une aversion pour son nouveau lit.

Déménager

Si déménager est excitant et stressant, cela peut également être épuisant, notamment si vous devez vous occuper d'un bébé ou d'un enfant en bas âge tout en défaisant des cartons. Avoir une foule de choses à régler en peu de temps ne doit pas vous empêcher de respecter les besoins physiologiques de votre fils ou de votre fille. Voici quelques conseils qui vous seront bien utiles :

- Installez en premier la chambre dans laquelle votre enfant doit dormir afin qu'il ait un endroit calme à sa disposition.
- Mettez ses jouets et les objets auxquels il est habitué dans sa nouvelle chambre afin qu'il se sente en sécurité.
- Si votre enfant fait une longue sieste le jour du déménagement, couchez-le plus tard qu'à l'accoutumée afin qu'il s'endorme dès que vous le mettrez au lit et qu'il ne développe pas une aversion pour son nouvel environnement.

- Respectez autant que faire se peut le rituel du soir – bain, chanson, histoires – afin qu'il ait ses repères habituels.
- Ne le prenez pas dans votre lit, même si vous êtes épuisés et que vous avez envie de dormir car pour lui le message sera « dans la nouvelle maison, je dors avec papa et maman ».

L'arrivée d'un petit frère ou d'une petite sœur

Au cours de la grossesse, installez votre enfant – si ce n'est déjà fait – dans le lit qu'il occupera après la naissance de son petit frère ou de sa petite sœur. En effet, donner son lit du jour au lendemain au bébé peut être lourd de conséquences. Faites de même si vous envisagez de le changer de chambre.

S'il doit partager sa chambre avec son petit frère ou sa petite sœur, trouvez un moyen de préserver son indépendance et montrez-lui qu'il compte énormément pour vous, même si vous êtes obligés de vous occuper de deux enfants. Voici quelques conseils :

- Quelques jours avant la naissance, préparez le berceau ou le lit de bébé, notamment si vous envisagez de le faire dormir dans votre chambre.
- Lorsque votre enfant voit pour la première fois son petit frère ou sa petite sœur – que ce soit chez vous ou à la maternité –, veillez à ne pas avoir le nouveau-né dans les bras. Ne brusquez pas votre aîné(e). Dites-lui qu'il y a une surprise pour lui/elle dans le berceau mais surtout ne l'obligez pas à aller voir le bébé.
- De retour à la maison, essayez dans la mesure du possible de respecter le rituel mis en place. Les nourrissons sont plus flexibles que les jeunes enfants et, si votre bébé doit téter 10 minutes plus tard qu'à l'accoutumée, cela n'a pas vraiment d'importance.
- Si vous aviez l'habitude de coucher votre enfant le soir, ne demandez pas à votre conjoint de vous remplacer sous prétexte que vous devez vous occuper du bébé. Si vous avez votre dernier-né dans les bras, emmenez-le avec vous dans la chambre de son frère ou de sa sœur et faites un gros câlin à trois.
- Même si on vous a dit et répété qu'il ne fallait pas sans cesse dire à votre enfant que vous l'aimez, dites-le-lui lorsque vous pensez qu'il a besoin de se l'entendre dire.
- Rassurez-vous si votre bébé pleure la nuit. Les enfants ont le sommeil profond et il se peut que son frère ou sa sœur ne soient aucunement perturbés.

Les parents ont eux aussi besoin de dormir

Il arrive que des parents qui, des mois durant, ont dormi en pointillé aient du mal à s'endormir ou à faire une nuit complète alors que leur enfant dort d'une traite.

Cette situation est tout à fait normale. Souvenez-vous de ce qui a été dit à propos des cycles du sommeil, notamment au sujet du sommeil lent et du sommeil paradoxal. Il est possible que, durant des semaines voire des mois, votre enfant vous ait réveillés alors que vous dormiez d'un sommeil profond. Ayant inconsciemment peur de ne pas entendre pleurer votre enfant, vous avez appris à ne jamais vraiment lâcher prise et conclusion... aujourd'hui vous avez du mal à dormir. Rassurez-vous, si vous étiez de gros dormeurs avant d'avoir votre enfant, il y a de grandes chances pour que vous retrouviez vos bonnes vieilles habitudes.

1. Le soir, mettez en place un rituel (eh oui ! les rituels n'ont pas du bon que pour les enfants !). Détendez-vous, écoutez de la musique, lisez quelques pages ou faites tout ce qui, d'une manière ou d'une autre, favorise le sommeil.
2. Couchez-vous à une heure raisonnable et n'attendez pas d'être épuisé pour aller au lit.
3. Évitez les boissons contenant de la caféine après 16 h et le soir.
4. Si vous n'arrivez pas à vous détendre, prenez un livre. Même si vous ne dormez pas, votre corps est au repos.
5. Si, une fois la lumière éteinte, vous vous tournez et vous retournez dans votre lit, fermez les yeux, choisissez un thème et énumérez les différents éléments entrant dans cette catégorie dans l'ordre alphabétique :

   - pays
   - écrivains
   - oiseaux
   - parties du corps

   Même si cela vous surprend, ces exercices mentaux empêchent votre esprit de vagabonder ou de se polariser sur des sujets qui vous tracassent. Au fil du temps, ils deviendront des éléments déclencheurs de sommeil.
6. Si vous avez un souci, donnez-vous une quinzaine de minutes pour y penser puis passez à autre chose. Inutile de rester des heures durant au lit sans dormir. Levez-vous, buvez une

boisson chaude puis recouchez-vous lorsque vous vous sentez fatigués.

7. Détendez-vous, lâchez prise et le sommeil viendra.

Votre enfant s'endort seul et ne se réveille plus. Bravo !

Vous pouvez être fiers de vous car vous seuls savez exactement par où vous êtes passés. Tout n'a pas toujours été facile. Prenez quelques instants et réfléchissez à tout le chemin parcouru et faites le point sur les aptitudes et les compétences que vous avez développées pour atteindre votre objectif :

- Votre bébé compte tellement pour vous que vous avez eu la volonté de l'aider.
- Vous avez appris à le connaître et avez agi en fonction de sa personnalité.
- Vous avez tenu compte de toutes les informations et vous avez utilisé tous les outils susceptibles de vous permettre de l'aider.
- En fonction de ce que vous saviez, vous avez défini un plan d'action.
- Vous avez mis en place ce plan d'action et vous n'avez jamais baissé les bras, même si la tentation fut parfois grande.
- Vous avez fait preuve de patience, de compréhension et vous n'avez jamais abandonné ce plan d'action.
- Vous n'avez jamais dérogé aux règles que vous vous étiez fixées, même lorsque vous n'aviez qu'une envie : courir le prendre dans vos bras lorsqu'il pleurait. Vous avez toujours agi pour son bien.
- Vous avez donné à votre enfant une leçon fondamentale, à savoir que le sommeil est essentiel pour son bien-être physique et mental.
- Vous avez fait à votre enfant un don précieux.

Une fois encore : bravo !

A

B

C

D

E

F

G

H

I

J

L

M

N

O

P

R

S

T

U

V

Z

NOTES :

NOTES :

NOTES :

NOTES :

NOTES :

NOTES :

NOTES :

Dépôt légal : octobre 2008
Imprimé en Italie par Rotolito Lombarda, Piotello
302081/01-11007057 septembre 2008